CD付

耳から覚える　日本語能力試験

文法トレーニング
N4

本書で勉強する方へ

　文法を勉強するのは何のためでしょうか。それは、正しく聞くため、正しく読むため、正しく話すため、そして正しく書くためです。文法がきちんとわかっていなければ、必要な情報を受け取れなかったり、自分の言いたいことが相手に伝わらなかったりします。
　N4で学ぶ文法事項は、日本語の基礎となるものです。日本語を学ぶ上で、最も大切なところだと言ってもいいでしょう。日常会話ができればいいと思っている方も、N3、N2、N1とレベルアップしていきたいと思っている方も、まずN4レベルをマスターすることが必要です。
　本書は、日本語能力試験N4レベルの勉強をなさる方が、そのレベルの文法事項をしっかり身に付けられるようにと考えて作りました。

●本書の特徴

1 提出順について
概念のわかりやすさと重要度を考慮しました。★が増えるほど難しくなります。

2 例文について
・その文法事項がよく使われる場面、よくいっしょに使われる語彙などを考慮しました。
・言葉を入れ替えれば、いろいろな場面に応用できる文を多く入れました。

3 形を覚えるために
形を覚えたかどうかをチェックできる問題を数多く入れました。
→「練習」の「助詞を入れる問題」「活用の問題」、「まとめテスト」の問題Ⅰ、Ⅱ

4 聞いて覚えるために
　CDを付けました。覚えるためには目で見るだけでなく、聞く、書く、実際に口を動かして言ってみるなど、五感をフルに使うことが効果的だからです。
　知らない言葉は聞き取りにくいものですが、文法も同じです。聞いてすぐにわからなければ、本当にわかったとは言えません。

5 繰り返して覚えるために
練習問題で繰り返し例文を取り上げています。
→ディクテーション、ユニットごとの練習、まとめテスト
「まとめテスト」はほとんどの問題文が、例文やそれ以前の練習問題で出題したものなので、意味と形をしっかり覚えているかどうかチェックできます。

6 実力を試すために
　総合問題を付けました。日本語能力試験N4の文法問題と同じ形式です。1～4回の中に、N4の文法事項が全部含まれています。N5レベルの問題も入れました。

● 本書の使い方

Step 1 　例文を読んで、意味と接続の形を確認します。CD も利用して、しっかり覚えます。
↓
Step 2 　1つのユニットが終わったら、「ディクテーション」、「練習」をします。ユニット3〜4回分が終わったら、「まとめテスト」をします。できなかった問題はチェックしておいて、何度も繰り返してください。
↓
Step 3 　「まとめテスト3」まで終わったら、総合問題に挑戦してください。

言葉の使い方、表記などについての注意

① 接続 に使われている主な言葉と記号の意味は次のとおりです。
なお、文法的にはあり得ても、実際にはめったに使われないものは省きました。

動詞	[辞書形] 書く	[ナイ形] 書か(ない)	[マス形] 書き	[テ形] 書いて
	[タ形] 書いた	[意志形] 書こう	[可能形] 書ける	[仮定形] 書けば
	[命令形] 書け	[動詞＋ている] 書いている		
イ形容詞	[辞書形] 高い	[テ形] 高くて	[仮定形] 高ければ	
	[イ形容詞＿φ] 高	[イ形容詞＋かろう] 高かろう		
ナ形容詞	[辞書形] 元気	[テ形] 元気で	[仮定形] 元気なら	
	[ナ形容詞＿φ] 元気	[ナ形容詞＋だろう] 元気だろう		
名詞	[名詞＋の] 学生の	[名詞＋である] 学生である		

普通体	動詞	書く	書いた	書かない	書かなかった
	イ形容詞	高い	高かった	高くない	高くなかった
	ナ形容詞	元気だ	元気だった	元気ではない	元気ではなかった
	名詞	学生だ	学生だった	学生ではない	学生ではなかった
名詞修飾形	動詞	書く	書いた	書かない	書かなかった
	イ形容詞	高い	高かった	高くない	高くなかった
	ナ形容詞	元気な	元気だった	元気ではない	元気ではなかった
	名詞	学生の	学生だった	学生ではない	学生ではなかった

② 「〜形の作り方」にある「え段」は「え・け・せ・て・ね……」を、「お段」は「お・こ・そ・と・の……」を表しています。
③ 印の意味　＊　例外的な使い方であることを示します。
　　　　🎧　この文が CD に入っています。この文はディクテーションと同じ文です。
④ 例文では、N4〜N2 レベルの漢字と固有名詞には読みがなをつけました。N1 レベルの漢字は使っていません。

How to Study Using This Book

Why do we study grammar? We wish to understand accurately what we hear and read, and to speak and write properly. If we do not truly understand grammar, we will not be able to understand information that is essential to us, or to convey to others what we want to say.

The grammatical points studied for the N4 Japanese-Language Proficiency Test constitute the very foundation of the Japanese language. In fact, the grammar in N4 is probably the most important grammar you will learn in your study of Japanese. Mastery of this level is necessary for those of you who want to be able to use Japanese in daily conversation, or who want to try the more advanced N3, N2 and N1 of the Japanese-Language Proficiency Tests.

This text was developed so that all of you who are studying for the N4 Japanese-Language Proficiency Test can become thoroughly familiar with the grammar items on that exam.

●About This Book

1. **Organization**
   We have organized this text based on understandability of the concepts and their importance. The more ★ there are, the more difficult the grammar point.

2. **About the example sentences**
   · We have included situations that often use the grammar items, as well as vocabulary that is often used with those items.
   · In other words, we have included many sentences that can be applied to a variety of situations.

3. **For memorizing patterns**
   We have included many exercises that check whether or not you have memorized the patterns.
   →Drills requiring insertion of particles and conjugations, and Exercises I and II in the Final Mastery Test

4. **For memorizing by ear**
   We have included a CD. Learning a language requires not just reading, but also listening, writing, and actually speaking. In other words, it is effective to use the five senses fully. Just as it is difficult to discern words spoken to you that you don't know, so it is with grammar. If you don't immediately understand what you hear, you can't truly say you understand.

5. **For using repetition to memorize**
   We have included the same sample sentences repeatedly in the Drills.
   →Dictations, Drills for every unit, and Final Mastery Test
   Most of the sentence questions in the Final Mastery Test are comprised of the example sentences and prior practice exercises. They check whether you have truly learned the meanings and patterns.

6. **For testing your proficiency**
   We have included N4 Japanese-Language Proficiency Practice Tests that have the same format as the grammar questions on the actual test. All of the N4 grammar items are included in the four Practice Tests. The Practice Tests also contain questions from N5, just as is the case on the actual exam.

●How to Use this Book

Step 1 Read the example sentences. Check their meanings and how the conjunctions are used. Listen to the CD to drill in the patterns.

Step 2 Do the Dictation and Drill sections at the end of each unit. When you finish the third-fourth unit, take the Final Mastery Test. Check which exercises give you difficulty, and try them over again until you are comfortable with them.

Step 3 After you've completed Final Mastery Test 3, try the Practice Tests.

使用指南

我们为什么要学习语法？是为了能准确地听、读、说、写。如果不能准确地掌握语法，就不能抓住必需的信息，自己想表达的意思也不能顺利地传达给对方。

N4 的语法是学习日语的基础，可以说是学习日语最关键的地方。今后想学日常会话，或者想继续往 N3、N2、N1 前进，都要先掌握 N4 的语法。

这本书能帮助日语能力考试 N4 水平的读者，将语法项目全部牢牢掌握。

●本书的特点

1. **关于语法的排列顺序**

   充分考虑了各个语法项目是否易于理解和其重要程度。★的个数越多越难。

2. **关于例句**

   ・充分考虑了每一个语法项目经常使用的场面，经常一起使用的词汇等因素。

   ・书中的例句，很多都是只要换一换单词，就能在很多场面应用的实用性强的句子。

3. **形态变化（接续）的记忆**

   设计了很多自我测试题，帮助读者记忆形态变化。

   →"练习"的"填助词的问题""活用的问题"，"小测试（まとめテスト）"里的问题Ⅰ、Ⅱ

4. **通过听来记忆**

   附上了 CD。要想记住不能光靠用眼睛看，还要听、写、实际动口说，要最大限度地利用视觉、听觉等，这样才能高效率地学习。

   语法和词汇一样，自己不会的就听不出来。听了以后如果不能立刻理解，就不能算掌握好了。

5. **反复记忆**

   在练习中例句反复出现。

   →"听写（ディクテーション）"、每个单元的练习、"小测试（まとめテスト）"

   "小测试（まとめテスト）"里的问题，基本上都是讲解语法时的例句，以及以前的练习中出现过的，可以通过"小测试（まとめテスト）"好好检测一下自己是不是记住了各个语法的意思和形态变化。

6. **实战演习**

   附上了模拟考试题。采用和日语能力考试 N4 的语法问题同样的形式，而且，1～4 的试题中，包含了 N4 的所有语法项目。和实际的能力考试题目一样，加入了一部分 N5 水平的考试题。

●本书使用方法

Step 1　读例句，确认意思和接续的形态。利用 CD，牢牢记住。

Step 2　一个单元结束后，"听写（ディクテーション）"并完成"练习"。3～4 个单元结束后，作"小测试（まとめテスト）"。不会的题反复确认。

Step 3　"小测试 3（まとめテスト 3）"做完后，挑战模拟考试题。

이 책을 사용하시는 여러분께

문법을 공부하는 목적은 무엇일까요? 그것은 곧, 바르게 듣고, 읽고, 말하고, 그리고 쓰기 위해서 입니다. 문법을 잘 이해하지 못하면, 필요한 정보를 얻지 못 하거나, 자신이 말하고자 하는 내용이 상대방에게 제대로 전달되지 않는 경우가 있습니다.

N4에서 학습하는 문법 항목은, 일본어의 기초가 되는 것들 입니다. 일본어 학습에 있어서 가장 중요한 부분이라고도 할 수 있습니다. 일본어로 일상회화를 원하시는 분도, N3·N2·N1로 실력을 높이고자 하는 분도, 먼저 N4를 충분히 습득해 둘 필요가 있습니다.

이 책은, 일본어능력시험 N4를 준비하는 분들을 위하여, 문법 항목을 확실하게 습득할 수 있도록 연구해서 만들었습니다.

● 이 책의 특징

1 출제 순서에 대하여
개념의 이해도와 중요도를 고려했습니다. ★이 많을수록 난이도가 높아집니다.

2 예문에 대하여
· 해당 문법 사항이 자주 사용되는 장면, 또 같이 잘 사용되는 어휘 등을 고려했습니다.
· 단어만 바꾸면 여러 장면에 응용할 수 있는 문장을 많이 사용했습니다.

3 문형 습득을 위하여
형태를 완전히 습득했는지 확인하는 문제를 많이 사용했습니다.
→「연습」의「조사 채우기 문제」,「활용문제」,「정리테스트」의 문제Ⅰ,Ⅱ

4 듣고 이해하기 위하여
CD를 첨부했습니다. 학습을 위해서는 눈으로 보는 것만이 아니고, 듣고, 쓰고, 실제로 입을 움직이는 등, 오감을 충분히 사용하는 것이 효과적이기 때문입니다.
모르는 단어는 잘 알아듣기 힘들지만, 문법도 마찬가지 입니다. 듣고 바로 이해할 수 없으면, 정말로 이해했다고는 할 수 없습니다.

5 반복을 통한 습득을 위하여
연습문제에 같은 예문을 반복해서 설정하였습니다.
→ 받아 쓰기, 유니트별 연습, 정리 테스트
「정리테스트」는 대부분의 문제가 예문이나 연습문제에서 출제된 것으로, 뜻과 형태를 확실히 습득했는지 확인할 수 있습니다.

6 실력 테스트를 위하여
모의시험을 첨부했습니다. 일본어능력시험 N4의 문법문제와 같은 형식입니다. 1~4회 중에는 N4의 문법 항목이 모두 포함되어 있습니다. 또한, 실제 시험과 같이 N5 수준의 문제도 준비했습니다.

● 이 책의 사용 방법

Step 1 예문을 읽고, 뜻과 접속 형태를 확인합니다. CD도 이용하여 확실히 공부합니다.

Step 2 유니트가 끝나면,「받아쓰기」,「연습」을 합니다. 유니트 3~4 회분이 끝나면,「정리테스트」를 합니다. 풀지 못한 문제는 체크해 놓고 여러 번 반복합니다.

Step 3 「정리테스트 3」까지 끝나면, 모의시험에 도전합니다.

CONTENTS

本書（ほんしょ）で勉強（べんきょう）する方（かた）へ …………………………………………… 2

Unit 01　1〜9 ……………………………………………… 12

　　1　〜ができる／〜ことができる
　　2　〜る／られる（動詞（どうし）の可能形（かのうけい））
　　3　〜ようになる
　　4　〜つもり
　　5　〜う／よう（動詞（どうし）の意志形（いしけい））
　　6　意志形（いしけい）＋と思（おも）う
　　7　〜かた
　　8　〜とか
　　9　〜の／こと

　　ディクテーション CD02 ……………………………………… 17
　　練習（れんしゅう） …………………………………………………… 18

Unit 02　10〜18 ……………………………………………… 20

　　10　〜ため（に）
　　11　〜たことがある
　　12　比較（ひかく）
　　13　〜は…が＋形容詞（けいようし）／状態（じょうたい）を表（あらわ）す動詞（どうし）
　　14　〜にする
　　15　〜だろう／（〜だろう）と思（おも）う
　　16　〜と言（い）う／聞（き）く／書（か）く　など
　　17　〜ほうがいい
　　18　疑問詞（ぎもんし）＋でも

　　ディクテーション CD03 ……………………………………… 24
　　練習（れんしゅう） …………………………………………………… 25

Unit 03　19〜27 ……………………………………………… 27

　　19　〜かどうか
　　20　〜か

7

21 ～そうだ（伝聞）
22 ～ので
23 ～のに
24 ～てしまう
25 ～てみる
26 ～やすい／にくい
27 ～がする

ディクテーション CD 04 ……………………………………………… **31**
練習 ……………………………………………………………………… **32**

まとめテスト１ １〜27 ……………………………………………… **34**

Unit 04 28 〜 35 …………………………………………………… **38**

28 ～（よ）うか／ましょうか
29 ～てはいけない
30 ～なければならない／なくてはいけない
31 ～てもいい／かまわない　～なくてもいい／かまわない
32 命令の表現
33 ～こと／ということ
34 あげる／もらう／くれる
35 さしあげる／やる／いただく／くださる

ディクテーション CD 05 ……………………………………………… **44**
練習 ……………………………………………………………………… **45**

Unit 05 36 〜 45 …………………………………………………… **48**

36 ～そうだ（様態）
37 ～ため（に）
38 ～すぎる
39 ～ておく
40 （～も）…し、～も
41 ～でも

CONTENTS

42 〜のようだ
43 〜ことが（も）ある
44 〜のだ
45 〜も

ディクテーション CD 06 ……………………… 53
練習 ……………………………………………… 54

Unit 06 46〜55 ………………………………… 56

46 〜ようだ
47 〜らしい
48 〜かもしれない
49 〜ところだ
50 〜ばかり
51 〜がる／たがる
52 〜だす／はじめる／おわる／つづける
53 〜でも
54 〜の
55 〜かな（あ）

ディクテーション CD 07 ……………………… 61
練習 ……………………………………………… 62

Unit 07 56〜65 ………………………………… 64

56 〜と
57 〜たら
58 〜ば（仮定形）
59 〜なら
60 疑問詞＋〜たら／ば＋いいですか　など
61 〜と／たら／ば＋いい
62 〜と／たら／ば＋いいです　など
63 〜ても／でも
64 こんな／そんな／あんな＋名詞
65 こう／そう／ああ＋動詞

9

	ディクテーション CD08	70
	練習	71

まとめテスト 2　28～65　　74

Unit 08　66～72　　78

- 66　～てあげる／もらう／くれる
- 67　～てさしあげる／やる／いただく／くださる
- 68　～ことにする
- 69　～ことになる
- 70　～（よ）うとする
- 71　～ようにする
- 72　～てくる／いく

	ディクテーション CD09	83
	練習	84

Unit 09　73～82　　87

- 73　受身
- 74　使役
- 75　使役受身
- 76　～（さ）せてください
- 77　～まで
- 78　～までに
- 79　～あいだ（は）
- 80　～あいだに
- 81　～ように（と）言う／伝える／注意する　など
- 82　～さ

	ディクテーション CD10	93
	練習	94

CONTENTS

Unit 10 83～90 ……………………………………………… 98
- 83　尊敬表現
- 84　謙譲表現
- 85　そのほかのていねいな言い方
- 86　～まま
- 87　～ずに
- 88　～はず
- 89　～たばかり
- 90　～ちゃ／ちゃう（縮約形）

ディクテーション (CD 11) ……………………………………… 104
練習 ……………………………………………………………… 105

まとめテスト 3 66～90 ……………………………………… 108

総合問題　Ⅰ …………………………………………………… 114
　　　　　　Ⅱ …………………………………………………… 117
　　　　　　Ⅲ …………………………………………………… 120
　　　　　　Ⅳ …………………………………………………… 123

さくいん ………………………………………………………… 126

Unit 01 1〜9

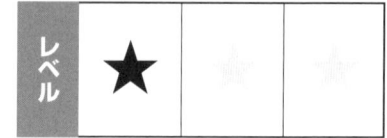

1　〜ができる／〜ことができる

接続　名詞＋ができる／動詞の辞書形＋こと(名詞)＋ができる

意味　①〜する能力がある／ Has the ability to 〜／有做某事的能力／〜 할 수 있는 능력이 있다

1　わたしは車の運転ができます。
2　リンさんは日本語を話すことができます。
3　「場所がどこかわかりますから、一人で行くことができます」

意味　②状況などから考えて、〜することが可能だ／ Is possible to do 〜 considering the situation ／客観条件允許做某事／상황 등을 고려해서, 〜 하는 것이 가능하다

1　この図書館は夜9時まで利用することができます。
2　「禁煙です。ここではたばこを吸うことはできません」
3　「このいすは壊れていますから、座ることはできません。注意してくださいね」

2　〜る／られる（動詞の可能形）

可能形の作り方

動詞Ⅰ　え段＋る　　　書く → 書ける　　泳ぐ → 泳げる
　　　　　　　　　　　話す → 話せる　　立つ → 立てる
　　　　　　　　　　　死ぬ → 死ねる　　遊ぶ → 遊べる
　　　　　　　　　　　読む → 読める　　乗る → 乗れる
　　　　　　　　　　　買う → 買える

動詞Ⅱ　る→られる　　起きる → 起きられる
　　　　　　　　　　　食べる → 食べられる

動詞Ⅲ　　　　　　　　する→できる　　来る → 来られる

注意　可能の意味がある動詞は可能形にできない。／ Verbs expressing possibility cannot take the potential form. ／含有可能意思的動詞沒有可能形／가능의 뜻을 가진 동사는 가능형으로 바꿀 수 없다.

例：わかる、間に合う　など

意味 ①～する能力がある／Has the ability to ~ ／有做某事的能力／~ 할 수 있는 능력이 있다

1 「キムさんは日本語の新聞が読めますか」
2 「場所がどこかわかりますから、一人で行けます」
3 1年前は日本語が話せませんでしたが、今は話せます。

意味 ②状況などから考えて、～することが可能だ／Is possible to do ~ considering the situation ／客观条件允许做某事／상황 등을 고려해서, ~ 하는 것이 가능하다

1 「この部屋は禁煙です。ここではたばこは吸えません」
2 先週はひまだったから、たくさん本が読めました。
3 この肉は古くなりました。もう食べられません。

---

3 ～ようになる

意味 ①能力の変化／Change in ability ／能力的变化／능력의 변화
接続 動詞の可能形

1 毎日練習して、50メートル泳げるようになりました。
2 早く日本語で話せるようになって、友だちを作りたいです。

意味 ②習慣の変化／Change in custom or practice ／习惯的变化／습관의 변화
接続 動詞の辞書形

1 オウさんは日本へ来てから、自分で料理を作るようになりました。
2 前は運動をしませんでしたが、今は1週間に1回運動をするようになりました。

復習 ～(に)なる

1 息子は来年二十歳になります。
2 暑くなりました。ビールがおいしい季節になりました。
3 日本人の友だちができて、会話が上手になりました。
4 最近いそがしくて、あまり友だちと会えなくなりました。

4 ～つもり

意味 自分の意志を他の人に言う／Telling others your intentions／对别人说自己的打算／자신의 의지를 다른 사람에게 말하다

接続 動詞の【辞書形・ナイ形】

🎧 1　わたしは日本語の勉強が終わったあと、国へ帰るつもりです。
　　2　もう甘いものは食べないつもりですが、自信がありません。
　　3　「夏休みは何をしますか。どこかへ行きますか」
　　　「ええ、家族といっしょに旅行するつもりです」

注意 ①主語が三人称（彼、彼女、田中さんなど）のときは使えない。／Can't use when subject is in third person (he, she, Mr. Tanaka, etc.)／主语是第三人称（彼、彼女、田中さん等）时不能用／주어가 3인칭（그, 그녀, 田中씨 등）인 경우에는 쓸 수 없다.

　　× 彼は来年アメリカに留学するつもりです。
　　→ 彼は来年アメリカに留学するつもりだと言っています。（→16番）

注意 ②自分の意志で決められないことには使えない。／Can't use for what you can't decide yourself／自己不能决定的事情不能用／자신의 의지로 결정할 수 없는 것에는 쓸 수 없다

　　× わたしは来年大学に合格するつもりです。
　　× わたしは交通事故にあわないつもりです。

5 ～う／よう（動詞の意志形）

意志形の作り方　動詞Ⅰ　お段＋う　　書く→書こう　　泳ぐ→泳ごう　　話す→話そう
　　　　　　　　　　　　　　　　　　立つ→立とう　　死ぬ→死のう　　遊ぶ→遊ぼう
　　　　　　　　　　　　　　　　　　読む→読もう　　乗る→乗ろう　　買う→買おう
　　　　　　　　動詞Ⅱ　る→よう　　起きる→起きよう　　食べる→食べよう
　　　　　　　　動詞Ⅲ　　　　　　　する→しよう　　来る→来よう

意味 ①今から（将来）することを自分に言う／Telling yourself what you will be doing.／自言自语地说现在（将来）要做的事情／지금부터（미래에）하려고 하는 것을 자기자신에게 말하다

🎧 1　12時だ。もう寝よう。
　　2　不注意でミスをした。次は注意しよう。

意味 ②親しい相手をさそう、大勢の人に呼びかける／Inviting someone you know well; addressing crowds／邀请关系亲近的人一起做某事，或对大多数人发起呼吁／친한 상대에게 제의하다, 많은 사람에게 호소하다

　　1　「今日、お昼ごはん、いっしょに食べようよ」

🎧 2 「今年は絶対優勝しよう！ みんなでがんばろう！」
　　3 「来年はいっしょに旅行に行こうね」
＊ていねいな会話では「〜ましょう」を使う。
　　1 「寒いですね。早く帰りましょう」
🎧 2 「道を渡るときは車に注意しましょう」

6 意志形＋と思う

意味 自分の意志を他の人に言う（≒つもり）／Telling others your intentions; nearly the same meaning as「つもり」／对别人说自己的打算。和"つもり"大致相同／자신의 의지를 다른 사람에게 말하다.「つもり」와 거의 같은 뜻임

🎧 1 卒業後は進学しないで就職しようと思います。
　　2 週末は家でゆっくり休もうと思います。
　　3 「冬休みはどうするつもりですか」「国へ帰ろうと思っています」
　　4 7時に起きようと思っていましたが、きのう遅く寝たから、起きられませんでした。

注意 主語が三人称のときは「〜（よ）うと思います」は使えない。／Can't use「〜（よ）うと思います」when subject is in third person／主语是第三人称时不能用"〜（よ）うと思います"／주어가 3인칭인 경우,「〜（よ）うと思います」는 쓸 수 없다

　○　わたしは彼女と結婚しようと思います。
　○　わたしは彼女と結婚しようと思っています。
　×　山田さんは彼女と結婚しようと思います。
　○　山田さんは彼女と結婚しようと思っています。

7 〜かた

意味 〜する方法／How to 〜／做某事的方法／〜 하는 방법
接続 動詞のマス形

🎧 1 「この漢字の読みかたを知っていますか」
　　2 わたしは今、パソコンの使いかたを習っています。
　　3 「すみませんが、市役所への行き方を教えてください」
　　4 母の誕生日にケーキを作りたいと思っています。でも、作り方がわかりません。

8 〜とか

意味 二つ以上のものを並べるときに使う（≒や）／Used when listing up over two items. Almost same meaning as「や」／并列两个以上的事物时使用。和"や"大致相同／2가지 이상의 것을 나열할 때 쓴다.「や」와 거의 같은 뜻임

接続 名詞

1 冷蔵庫の中には肉とか野菜とか果物とかがいっぱい入っています。
2 交流会には、オウさんとかキムさんとか山田さんとか、学校の友だちがたくさん参加しました。
3 「日本料理は好きですか」「ええ、よく食べます。ラーメンとか牛丼とか」

注意「とか」を一つだけで使うときは、「たとえば」の意味になる。／When toka appears only once in a sentence, the meaning is "for example."／只用一个"とか"的时候，表示"例えば"的意思，举例说明时使用／「とか」를 하나만 사용하는 경우에는、「예를 들면」의 뜻으로 쓰임

・「日本の生活はどうですか」
「そうですね、交通費とかお金がかかって大変です」

9 〜の／こと

意味 動詞の名詞化／Converting verbs into nominals／将动词变为名词／동사의 명사화

接続 動詞の辞書形＋の／こと

1 わたしは本を読むの（／こと）が好きです。
2 一人で生活するの（／こと）はさびしいが、自由でいい。
3 わたしは文章を読むの（／こと）は得意ですが、書くの（／こと）は苦手です。
4 「チンさんが来月結婚するの（／こと）を知っていますか」

注意 次のような文では「こと」しか使えない。／Can only use「こと」with the following types of sentences.／下面的句子，只能用"こと"／다음과 같은 문장에서는「こと」밖에 쓸 수 없다.

1 わたしの趣味は映画を見ることです。
2 わたしが日本へ来た目的は、日本語の勉強をすることです。

Unit 01 1～9　ディクテーション

1 ・わたしは車の運転＿＿＿＿＿＿＿＿＿＿＿＿＿＿＿＿＿＿＿＿＿。

・この図書館は夜9時まで＿＿＿＿＿＿＿＿＿＿＿＿＿＿＿＿＿＿。

2 ・「キムさんは日本語の＿＿＿＿＿＿＿＿＿＿＿＿＿＿＿＿＿＿」

・この肉は古くなりました。もう＿＿＿＿＿＿＿＿＿＿＿＿＿＿＿。

3 ・毎日練習して、50メートル＿＿＿＿＿＿＿＿＿＿＿＿＿＿＿＿。

・オウさんは日本へ来てから、自分で料理を＿＿＿＿＿＿＿＿＿＿。

4 ・わたしは日本語の勉強が終わったあと、国へ＿＿＿＿＿＿＿＿＿＿。

5 ・12時だ。もう＿＿＿＿＿＿＿＿＿＿＿＿＿＿＿＿＿＿。

・「今年は絶対優勝＿＿＿＿＿＿＿＿＿！　みんなで＿＿＿＿＿＿＿！」

・道を渡るときは車に＿＿＿＿＿＿＿＿＿＿＿＿＿＿＿＿。

6 ・卒業後は進学しないで就職＿＿＿＿＿＿＿＿＿＿＿＿＿＿＿＿。

7 ・「この漢字の＿＿＿＿＿＿＿＿＿＿を知っていますか」

8 ・冷蔵庫の中には肉＿＿＿＿野菜＿＿＿＿果物＿＿＿＿がいっぱい入っています。

9 ・わたしは本を＿＿＿＿＿＿＿＿＿＿＿＿が好きです。

・「チンさんが来月＿＿＿＿＿＿＿＿＿＿知っていますか」

Unit 01 1〜9　　　練　習

I （　）にひらがなを1字ずつ書きなさい。

1. わたしは本（　）読む（　）が好きです。
2. 冷蔵庫の中には肉（　）（　）野菜（　）（　）が入っています。
3. 「キムさんは日本の新聞（　）読むこと（　）できますか」
4. 毎日練習しましたから、漢字（　）書けるよう（　）なりました。
5. 夏休みは国へ帰ろう（　）思います。
6. 「チンさん（　）結婚する（　）を知っていますか」
7. この料理を食べたいですが、作り方（　）わかりません。

II 可能形と意志形を書きなさい。

辞書形	可能形	意志形
あるく		
かう		
ねる		
来る		
もつ		
かえる		
あそぶ		
べんきょうする		
おきる		
話す		

III （　）のことばを適当な形にして＿＿＿＿に書きなさい。

1. わたしは今、パソコンの＿＿＿＿＿＿＿＿＿＿方を習っています。（つかう）
2. わたしは日本語の勉強が終わったあと、国へ＿＿＿＿＿＿＿＿＿＿つもりです。（かえる）

18

3．毎日練習して、50メートル＿＿＿＿＿＿ようになりました。（およぐ）

4．わたしは週末は家でゆっくり＿＿＿＿＿＿と思います。（休む）

5．わたしは本を＿＿＿＿＿＿ことが好きです。（読む）

6．「ここでたばこを＿＿＿＿＿＿ことはできません」（すう）

7．不注意でミスをした。次は注意＿＿＿＿＿＿と思う。（する）

8．週末はいそがしいから、パーティーへは＿＿＿＿＿＿つもりです。（行く）

9．日本人の友だちができて、会話が＿＿＿＿＿＿なりました。（じょうず）

10．最近いそがしくて、あまり友だちと＿＿＿＿＿＿なりました。（会える）

Ⅳ（　　）に入るのはどれですか。いちばんいいものを一つ選びなさい。

1．試験のときは辞書は（　　）。かばんの中に入れてください。
　　a．使います　　　b．使えません　　　c．使えます　　　d．使いません

2．前はいつも車でしたが、今は健康のことを考えて、よく（　　）。
　　a．歩けるようになりました　　　　b．歩くつもりです
　　c．歩くようになりました　　　　　d．歩くことができます

3．日曜日は家で掃除（　　）洗濯（　　）をします。
　　a．や／や　　　b．に／に　　　c．も／も　　　d．とか／とか

4．来週は試験があります。だから、今週はアルバイトを休んで（　　）。
　　a．勉強するつもりです　　　　　b．勉強できるつもりです
　　c．勉強できるようになりました　d．勉強すると思いました

5．疲れたから、早く家に帰って（　　）と思います。
　　a．寝る　　　b．寝た　　　c．寝られる　　　d．寝よう

6．「フランス料理は好きですか」
　　「ええ、でも毎日（　　）。ときどき食べたくなりますけど」
　　a．食べるつもりではありません　　b．食べないでしょう
　　c．食べようとは思いません　　　　d．食べるようにはなりません

Unit 02　10〜18

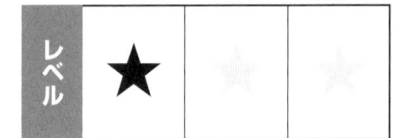

10　〜ため（に）

意味 ①目的／Objective／目的／목적

接続 名詞＋の／動詞の辞書形

1　健康のために、毎日走っています。
2　将来医者になるために、いっしょうけんめい勉強しています。
3　漢字がなかなか覚えられません。それで、覚えるために何回も書いて練習しています。

注意「ために」の前に、可能形、ナイ形などは使えない。／Can't use with potential form or ナイ-form before「ために」／"ために"的前面,不能用可能形、ナイ形／「ために」앞에는, 가능형, ナイ형 등은 쓸 수 없다.

×　日本語が話せるために、毎日練習します。　→　日本語が話せるように〜
×　かぜをひかないために、注意してください。　→　かぜをひかないように〜
(→ N3)

意味 ②利益／Profit, benefit／対某人有利／이익

接続（人、組織を表す）名詞＋の

1　父は家族のためにいっしょうけんめい仕事をしています。
2　これは日本語を勉強する人のための辞書です。
3　わたしは会社のために働きたくありません。自分のために働きます。

11　〜たことがある

意味 過去の経験／Past experience／过去经历过的事情／과거의 경험

接続 動詞のタ形

1　わたしは高校生のとき、1年間アメリカで勉強したことがあります。
2　「富士山に登ったことがありますか」
　　「近くまで行ったことはありますが、登ったことはありません」
3　「この歌を知っていますか」「はい、前に一度聞いたことがあります」
4　わたしはまだ一度も雪を見たことがありません。

12 比較

意味 二つのものを比べるときに使う／Used when comparing two items／比較兩个事物时使用／2 가지 것을 비교할 때 사용한다

接続「より」「ほう」「ほど」の前は名詞／動詞の辞書形　ただし、「ほう」の前は名詞＋の

① AはBより〜（肯定文）
1　吉田さんは鈴木さんより背が高いです。
2　今度のテストの点は前のより悪かったです。
3　わたしの国では、日本より、辛い物をよく食べます。

② AはBほど〜ない（否定文）
1　鈴木さんは吉田さんほど背が高くありません。
2　今度のテストは前のほど良くできませんでした。
3　わたしの国の夏は日本の夏ほど暑くありません。

③ AのほうがBより〜／BよりAのほうが〜
1　北海道のほうが九州より広いです。
2　「あのタレントは歌よりダンスのほうが上手ですね」
3　スポーツは見るよりするほうが楽しいと思います。

④「AとBと、どちらが〜か」「Aのほうが（Bより）〜」
1　「コーヒーと紅茶と、どちらが好きですか」
　「わたしはコーヒーの方が好きです」
2　「漢字を書くのと読むのと、どちらが難しいと思いますか」
　「うーん、どちらも難しいですね」
　「わたしは書く方が難しいと思います」
3　「月曜日と火曜日、どっちがひま？」「火曜日」

注意 二つのものを比較する文では、疑問詞はいつも「どちら」を使う。三つ以上のものの中から選ぶときは「どちら」は使わない。／Always use the interrogative,「どちら」, when comparing two items. Can't use「どちら」for choosing among three or more items.／比較兩个事物时，使用疑問词"どちら"。从三个以上的事物中选择时，不使用"どちら"。／2 가지를 비교하는 문장에서는, 의문문은 언제나「どちら」를 쓴다. 3 가지 이상의 것들 중에서 선택할 때는,「どちら」는 쓸 수 없다.

1　「日本料理の中で、何がいちばん好きですか」
2　「温泉に行こうと思っています。どこがいいでしょうか」
3　「今度、いっしょに食事に行きましょう。いつがいいですか」
4　「ビール、日本酒、ワイン、どれがいい？」「ビール」

13 ～は…が＋形容詞／状態を表す動詞

意味 ～の性質、状態などを言う。「～」は全体、「…」はその一部分を表す／Explains the nature or state of「～」.「～」refers to the entirety;「…」to one part of the whole.／表示"～"的性质、状态。"～"是全体，"…"是它的一部分。／「～」의 성질, 상태를 말한다.「～」는 전체를,「…」는 그 일부분을 표현한다

1. 兄は背が高いです。　わたしは髪が長いです。　父は声が大きいです。
2. （わたしは）おなかが痛いです／目が疲れました／熱があります。
3. わたしの部屋は窓が大きいです。
4. あのスーパーの野菜は、値段が安くてしんせんです。
5. この公園は緑が多くて、気持ちがいいです。
6. 東京は車が多いですが、わたしのふるさとは車が少ないです。

14 ～にする

意味 ～に決める／Decide on ～／決定～，要～／～으로 결정하다

接続 名詞

1. （レストランで）「わたしはコーヒーにしますが、山田さんは何にしますか」
2. 「来週は母の日だね。プレゼントは何にしよう」
3. 「今日はもう遅いから、これで終わりにしませんか」

15 ～だろう／（～だろう）と思う

意味 推量、判断／Conjecture; judgment／推測、判断／추측, 판단

接続 名詞／【イ形容詞・ナ形容詞・動詞】のふつう体

ただし、ナ形容詞現在形に「だ」はつかない

1. 今月はケータイをよく使ったから、きっと電話代が高いだろう。
2. リンさんは今日、病気で学校を休みました。たぶん、あしたも来ない（／欠席）だろうと思います。
3. 先生は何歳ぐらいだろうか。たぶん、35歳ぐらいだろう。

注意「だろう」のていねいな言い方は「でしょう」。／Polite form of「だろう」is「でしょう」.／"だろう"的比较有礼貌的说法是"でしょう"／「だろう」의 정중한 표현은「でしょう」.

🎧 **1** （天気予報）「あしたは晴れるでしょう」
2 「あのおばあさん、若いころはきっときれいだったでしょうね」

16 〜と言う／聞く／書く　など

意味 引用／Quotations／引用／인용

接続 【名詞・イ形容詞・ナ形容詞・動詞】のふつう体

🎧 **1** 高木さんはきのう、あした8時に来ると言いました。でも、まだ来ません。
2 テレビのニュースで、けさ早く千葉で地震があったと言っていました。
3 きのうの天気予報で、しばらく雨が続くだろうと言っていました。
4 「来週テストがあると聞きましたが、本当ですか」
5 母の手紙に、先週のお祭りはとてもにぎやかで楽しかったと書いてありました。

注意　「　」があるときは、「　」の中はていねい体でもよい。／When there is「　」, can use polite form of what is in「　」.／有「　」的时候,「　」里面可以是敬体／「　」가 있는 경우「　」안에는 데스・마스형을 써도 좋다.
　　・高木さんはきのう、「あした8時に来ます」と言いました。

17 〜ほうがいい

意味 忠告／Advice, warning／忠告、提建议／충고

接続 動詞の【夕形・ナイ形】

🎧 **1** 「せきがひどいですね。一度病院へ行ったほうがいいですよ」
🎧 **2** 「疲れたときは無理をしないほうがいいです」
3 （店員）「修理代が高いですから、新しいのを買った方がいいですよ」
4 「いやなことは早く忘れた方がいいですよ」

18 疑問詞＋でも

意味 全部／All／全部／전부

🎧 **1** この店の品物は何でも100円です。
2 彼は有名人だから、だれでも知っています。
3 「何時ごろ電話しましょうか」「何時でもいいですよ」

Unit 02 10〜18　ディクテーション

10 ・健康＿＿＿＿＿＿＿＿＿＿、毎日走っています。

・漢字がなかなか覚えられません。それで、＿＿＿＿＿＿＿＿＿＿何回も書いて練習しています。

・父は＿＿＿＿＿＿＿＿＿＿いっしょうけんめい仕事をしています。

11 ・わたしは高校生のとき、1年間アメリカで勉強＿＿＿＿＿＿＿＿＿＿。

・わたしはまだ一度も雪を＿＿＿＿＿＿＿＿＿＿。

12 ・吉田さん＿＿鈴木さん＿＿背が＿＿＿＿。

・鈴木さん＿＿吉田さん＿＿背が＿＿＿＿。

・北海道＿＿＿＿九州＿＿＿＿広いです。

・「コーヒー＿＿紅茶＿＿、＿＿＿＿＿＿好きですか」

13 ・兄＿＿背＿＿＿＿です。わたしは髪＿＿＿＿＿です。父は声＿＿＿＿＿です。

14 ・「わたしはコーヒー＿＿＿＿＿＿＿が、山田さんは何＿＿＿＿＿＿＿＿」

15 ・今月はケータイをよく使ったから、きっと電話代が＿＿＿＿＿＿＿＿＿＿。

・「あしたは＿＿＿＿＿＿＿＿＿＿」

16 ・高木さんはきのう、あした8時に＿＿＿＿＿＿＿＿＿＿。でも、まだ来ません。

17 ・「せきがひどいですね。一度病院へ＿＿＿＿＿＿＿＿＿＿ですよ」

・「疲れたときは無理を＿＿＿＿＿＿＿＿＿＿です」

18 ・この店の品物は＿＿＿＿＿＿＿＿＿100円です。

Unit 02　10〜18　　練習

I （　）にひらがなを1字ずつ書きなさい。

1. 健康（　）ため（　）、毎日運動しています。
2. 兄（　）背（　）高いです。
3. 今度のテストの点（　）前の（　）（　）悪かったです。
4. 「疲れたときは無理をしないほう（　）いいですよ」
5. 「来週テストがある（　）聞きましたが、本当ですか」
6. 北海道（　）ほうが九州（　）（　）広いです。
7. この店の品物は何（　）（　）100円です。
8. 「コーヒー（　）紅茶（　）、どちら（　）好きですか」
   「コーヒー（　）ほう（　）好きです」
9. わたしの国の夏（　）日本の夏（　）（　）暑くありません。
10. わたしはまだ一度（　）雪を見たこと（　）ありません。
11. チンさんはきっと合格できるだろう（　）思います。
12. （レストランで）「わたしはコーヒー（　）しますが、山田さんは何（　）しますか」

II （　）のことばを適当な形にして＿＿＿に書きなさい。

1. 漢字を＿＿＿＿＿＿＿ために、何回も書いて練習しています。（おぼえる）
2. 「前に、富士山に＿＿＿＿＿＿＿ことがありますか」（のぼる）
3. スポーツは＿＿＿＿＿より＿＿＿＿＿ほうが楽しいと思います。（見る／する）
4. 「せきがひどいですね。一度病院へ＿＿＿＿＿＿＿ほうがいいですよ」（行く）
5. 母の手紙に、先週のお祭りはとても＿＿＿＿＿＿＿＿＿＿＿と書いてありました。（たのしい）
6. きのうの天気予報で、しばらく雨が＿＿＿＿＿＿＿だろうと言っていました。（つづく）
7. 「この魚はもう古いから、＿＿＿＿＿＿＿ほうがいいと思います」（食べる）
8. テレビのニュースで、けさ千葉で地震が＿＿＿＿＿＿＿と言っていました。（ある）

III （　　　）に入ることばを、下の□から選んで書きなさい。

1．「クラスの中で（　　　　　）がいちばん背が高いですか」
2．「日本料理の中で（　　　　　）がいちばん好きですか」
3．「毎日（　　　　　）勉強しますか」
4．「いっしょに映画を見に行きませんか」
　　「いいですね。（　　　　　）にしましょうか」
　　「来週の土曜日は（　　　　　）ですか」
5．「（　　　　　）人と結婚したいですか」
6．「きのう、（　　　　　）かへ行きましたか」「ええ、図書館へ行きました」
7．「春と秋と、（　　　　　）が好きですか」

| いつ　　だれ　　どう　　どこ　　どちら　　どのくらい　　どんな　　なに |

IV （　　　）に入るのはどれですか。いちばんいいものを一つ選びなさい。

1．この料理は簡単だから、（　　　）作れます。
　　a．なにか　　　　b．だれか　　　　c．なんでも　　　d．だれでも
2．「飛行機で行きますか、新幹線で行きますか」「うーん、新幹線に（　　　）」
　　a．します　　　　b．なります　　　c．なりました　　d．行きます
3．この本は前に一度読んだ（　　　）。
　　a．ほうがいいです　b．のがありました　c．ことができます　d．ことがあります
4．東京の人口は1,200万人で、大阪は900万人です。大阪の人口は東京ほど（　　　）。
　　a．多いです　　　b．多くありません　c．少ないです　　d．少なくありません
5．「顔色が悪いですね。今日は早く（　　　）」
　　a．帰るのがいいですよ　　　　　　　b．帰ったほうがいいですよ
　　c．帰ったことがありますか　　　　　d．帰ることがありましたか
6．「この赤いバッグとあの黒いバッグと、どちらがいいと思いますか」
　　「赤いバッグ（　　　）」
　　a．よりですね　　b．はいいですね　　c．のほうですね　　d．ほどいいですね

Unit 03　19〜27

19　〜かどうか

意味 二つの文をつなぐ形。疑問詞がないときは「〜かどうか」を使う／Connects two phrases. When no interrogative, use「〜かどうか」.／连接两个句子。没有疑问词的时候用"かどうか"／2 개의 문장을 잇는 문형. 의문사가 없는 경우에는「〜かどうか」를 쓴다.

森さんは今日の食事会に来ますか、来ませんか。＋（あなたはそれを）知っていますか。

→　森さんが今日の食事会に来るかどうか、知っていますか。

接続 名詞／【動詞・イ形容詞・ナ形容詞】のふつう体
ただし、ナ形容詞現在形に「だ」はつかない

1　これは初めて作った料理です。おいしいかどうか自信がありません。
2　あした、晴れるかどうか、心配です。
3　このことばを前に習ったかどうか、覚えていません。
4　これが本物のダイヤかどうか、わたしにはわかりません。

注意「かどうか」ではなく、否定形や反対の意味のことばを使うこともできる。／Can also use negatives and antonyms rather than「かどうか」／有时使用否定形或反义词,不用"かどうか"／「かどうか」 외에도, 부정형이나 반대의 뜻을 지닌 말을 사용할 수도 있다.

1　会議に出席するかしないか、なるべく早く知らせてください。
2　来年子どもが生まれます。まだ男の子か女の子かわかりません。

20　〜か

意味 二つの文をつなぐ形。疑問詞があるときは「〜か」を使う／Connects two phrases. When there is an interrogative, use「〜か」.／连接两个句子。有疑问词的时候用"〜か"／2 개의 문장을 잇는 문형. 의문사가 있는 경우에는「〜か」를 쓴다.

山田さんは何時に来ますか。＋（わたしにはそれは）わかりません。

→　山田さんが何時に来るかわかりません。

接続 名詞／【動詞・イ形容詞・ナ形容詞】のふつう体
ただし、ナ形容詞現在形に「だ」はつかない

1　「パンダは何を食べるか、知っていますか」
2　「東京駅行きのバスはどこから出るか、教えてください」
3　あのとき母が何と言ったか、思い出せません。
4　夏休みに旅行するつもりです。でもまだ、どこに行くか決めていません。
5　どれがわたしのかさか、わからなくなりました。

21 〜そうだ（伝聞）

意味 他の人、テレビ、雑誌、手紙などからの情報／Information from people, television, magazines, letters, etc.／表示他人、电视、杂志、信上的信息／다른 사람, 텔레비전, 잡지, 편지 등에서 얻은 정보

接続 【名詞・動詞・イ形容詞・ナ形容詞】のふつう体

1 リンさんは子どものころ、サッカーの選手になりたかったそうです。
2 「駅前の新しいレストランに、もう行きましたか」
   「いいえ。でも、チンさんが先週行ったそうです。とてもおいしくて、値段も高くなかったそうです」
3 弟からメールが来た。来月父が日本へ来るそうだ。
4 テイさんの話によると、アリさんはとても歌が上手だそうです。
5 天気予報によると、あしたは一日雨だそうだ。
6 この本によると、日本では1953年にテレビ放送が始まったそうだ。

注意 情報源は「によると」で表す。／Source of information is indicated by「によると」.／信息来源用"によると"表示。／정보원은「によると」로 표현한다.

22 〜ので

意味 原因・理由／Cause, reason／原因、理由／원인・이유

接続 名詞＋な／【動詞・イ形容詞・ナ形容詞】の名詞修飾形（ていねい体でもよい）

1 辞書を忘れたので、友だちに借りました。
2 雨にぬれたので、かぜをひいてしまいました。
3 あしたは日曜日なので、家でゆっくり休もうと思います。
4 「どうしたのですか。遅かったですね」
   「すみません。電車の事故がありましたので……」
5 「寒いので、ドアを閉めてくださいませんか」

注意 ①ていねいにお願いするときやあやまるときは「から」より「ので」を使ったほうがよい。／When making a polite request or apologizing, it is better to use「ので」than「から」.／郑重地表示请求或道歉时，用"ので"比用"から"好／정중하게 부탁을 할 때, 혹은 사과를 할 때에는「から」보다「ので」를 쓰는 것이 좋다.

注意 ②文末には使えない。／Can't use at end of sentence／不能用在句末／문말(文末)에는 쓸 수 없다

・「どうして遅れたのですか」
　×「電車の事故があったのでです」→「〜からです」

23 〜のに

意味 前文から予想できることと違って（驚き、不満、残念な気持ち）／What is expected from first clause does not occur, causing surprise, displeasure, or feelings of regret.／(表示和前半句预想的不同)居然，竟然(表示吃惊，不满，遗憾等语气)／앞 문장에서 예측할 수 있는 내용과 다르다. (그에 따른 놀라움, 불만, 유감스러운 감정)

接続 名詞＋な／【動詞・イ形容詞・ナ形容詞】の名詞修飾形

1 このアパートは駅から遠いのに、家賃が高い。
2 お金を払ったのに、どうして商品が届かないのだろう。
3 彼は日本へ来てからまだ半年なのに、もう日本語の新聞が読めるそうだ。
4 スピーチ大会ではきんちょうして、上手に話せなかった。いっしょうけんめい練習したのに……。

注意「のに」の後ろには事実を表す文が続く。意志、推量などの文は続かない。／Clause indicating facts follows「のに」. Sentences of volition or conjecture do not follow.／"のに"后接表示事实的句子，不能接表示意志，推测的句子。／「のに」의 뒤에는 사실을 표현하는 문장이 온다. 의지, 추측 등의 문장은 올 수 없다.

× 彼は病気なのに、会社へ来るだろう。 → 彼は病気だが、〜
× 電子辞書は必要なので、高いのに買うつもりだ。 → 〜、高いけれども〜

24 〜てしまう

接続 動詞のテ形

意味 ①完了／Completion／完了／완료

1 この本はおもしろかったから、1日で読んでしまいました。
2 「作文、もう書いた？」「うん、書いてしまったよ」
3 「8時のバスはもう出ましたか」「ええ、もう出てしまいましたよ」
4 今日は10キロ以上歩いたので疲れてしまった。

意味 ②残念や後悔の気持ちを表す／Expresses feelings of disappointment or regret／表示遗憾或后悔的心情／유감이나 후회의 감정을 표현한다.

1 うっかりして電車の中にかさを忘れてしまいました。
2 大切な手帳をなくしてしまって、とても困っています。
3 10年以上飼っていたペットの犬が死んでしまいました。

25 〜てみる

意味 ためしに〜する／Attempt to ~ ／试着做〜／시험삼아 〜 하다

接続 動詞のテ形

1 「初めてケーキを焼きました。食べてみてください」
2 「サイズが合うかどうかわかりません。ちょっと着てみてもいいですか」
3 はじめて交流会に参加してみました。とても楽しかったです。

26 〜やすい／にくい

意味 〜することがやさしい／難しい／Easy/difficult to ~ ／做〜容易/难〜／ 〜 하는 것이 쉽다・어렵다.

接続 動詞のマス形

1 「ガラスのコップは割れやすいですから、注意してください」
2 最近の新聞は字が大きくなって、とても見やすくなった。
3 この本は専門のことばが多くてわかりにくい。
4 この携帯電話は機能が複雑で、使いにくいです。
5 この薬は苦くて飲みにくいです。

27 〜がする

意味 味、音、においなどが感じられる（慣用的な表現）／Sensing of flavors, sounds, smells (idiomatic expression)／能感觉到味道、声音、气味（惯用表达方式）／맛, 소리, 냄새 등을 느낄 수 있다 (관용적인 표현)

接続 名詞（味、音、におい　など）

1 どんな味がするか、食べてみました。
2 「いいにおいがする。晩ごはんはカレーだな」
3 「子どもの声がしますね」「ええ、近くにようち園があるので」
4 「この楽器はおもしろい音がしますね。どこの国のですか」
5 「この香水はバラの香りがしますね」

Unit 03 19〜27　ディクテーション

19 ・これは初めて作った料理です。＿＿＿＿＿＿＿＿＿＿自信がありません。

・会議に出席＿＿＿＿＿＿＿＿＿＿、なるべく早く知らせてください。

20 ・「パンダは＿＿＿＿＿＿＿＿＿＿、知っていますか」

21 ・リンさんは子どものころ、サッカーの選手に＿＿＿＿＿＿＿＿＿＿。

・天気予報によると、あしたは一日＿＿＿＿＿＿＿＿＿＿。

22 ・辞書を＿＿＿＿＿＿＿＿＿＿、友だちに借りました。

・あしたは＿＿＿＿＿＿＿＿＿＿、家でゆっくり休もうと思います。

23 ・このアパートは駅から＿＿＿＿＿＿＿＿＿＿、家賃が高い。

・彼は日本へ来てからまだ＿＿＿＿＿＿＿＿＿＿、もう日本語の新聞が読めるそうだ。

24 ・この本はおもしろかったから、1日で＿＿＿＿＿＿＿＿＿＿。

・うっかりして電車の中にかさを＿＿＿＿＿＿＿＿＿＿。

25 ・「初めてケーキを焼きました。＿＿＿＿＿＿＿＿＿＿ください」

26 ・「ガラスのコップは＿＿＿＿＿＿＿＿＿＿ですから、注意してください」

・この本は専門のことばが多くて＿＿＿＿＿＿＿＿＿＿。

27 ・どんな＿＿＿＿＿＿＿＿＿＿か、食べてみました。

Unit 03 19〜27　練習

I （　）にひらがなを1字ずつ書きなさい。

1. このアパートは駅から遠い（　）（　）、家賃が高い。
2. どんな味（　）する（　）、食べてみました。
3. あした、晴れる（　）どう（　）、心配です。
4. 雨にぬれた（　）（　）、かぜをひいてしまいました。
5. 天気予報（　）よると、あしたは一日雨だそうです。

II （　　）のことばを適当な形にして＿＿＿＿に書きなさい。

1. 「このセーターを、ちょっと＿＿＿＿＿＿みてもいいですか」（きる）
2. 「このコップは＿＿＿＿＿＿やすいですから、注意してください」（われる）
3. これは初めて作った料理です。＿＿＿＿＿＿かどうかわかりません。（おいしい）
4. あしたは＿＿＿＿＿＿ので、ゆっくり＿＿＿＿＿＿と思います。
 （日よう日／休む）
5. 「パンダは何を＿＿＿＿＿＿か、知っていますか」（食べる）
6. うっかりして、電車の中にかさを＿＿＿＿＿＿しまいました。（わすれる）
7. お金を＿＿＿＿＿＿のに、どうして商品が届かないのだろう。（はらう）
8. この本は専門のことばが多くて＿＿＿＿＿＿にくい。（わかる）
9. テイさんの話によると、アリさんはとても歌が＿＿＿＿＿＿そうです。
 （じょうず）
10. リンさんは子どものころ、サッカーの選手に＿＿＿＿＿＿そうです。
 （なりたい）
11. 夏休みに旅行＿＿＿＿つもりです。でもまだ、どこに＿＿＿＿か決めていません。
 （する／行く）

Ⅲ　正しいものに○をつけなさい。

1. このボールペンは書き（やすい　にくい）から、もう使いたくありません。
2. 「雪が降っていますよ。道がすべり（やすい　にくい）から、気をつけてくださいね」
3. 祖母は「この本は字が大きくて読み（やすい　にくい）」と言っています。
4. まだ4月な（ので　のに）、今日はとても暑いです。
5. 寒い（ので　のに）セーターを3枚着ました。
6. 駅まで走った（ので　のに）、8時の電車に間に合いませんでした。
7. 頭が痛い（ので　のに）早く寝ようと思います。
8. 「田中さんがどこに住んでいる（か　かどうか）、知っていますか」
9. 「アリさんが、英語を勉強したことがある（か　かどうか）、知っていますか」
10. あの図書館は何時まで開いている（か　かどうか）、知りたいです。
11. 「飲みものは何がいいですか」「コーヒー（が　に）します」
12. この花はとてもいいにおい（が　に）する（ので　のに）、人気があります。
13. 「いつがいいですか」「いつ（も　でも）いいです」
14. わたしはまだ（一度も　一度でも）外国へ行ったことがありません。
15. 「すもうを見たことがありますか」「ええ、（一度　一度も　一度でも）だけですが」

Ⅳ　（　　）に入るのはどれですか。いちばんいいものを一つ選びなさい。

1. パソコンにあったメールアドレスを、間違えて全部（　　　）。
   a．消してしまいました　　　b．消してみました
   c．消すようになりました　　d．消さないつもりでした
2. 上田さんはかぜで熱があるのに仕事を（　　　）。
   a．休みました　　　　　　　b．休みませんでした
   c．休んだほうがいいです　　d．休まないほうがいいです
3. この本はとてもおもしろいと聞いたので、わたしも読んで（　　　）と思います。
   a．しまって　　b．しよう　　c．みて　　d．みよう
4. きのう、駅の近くで交通事故が（　　　）。
   a．あるそうでした　b．あるそうです　c．あったそうでした　d．あったそうです
5. コンサートのチケットを買ったのに（　　　）。
   a．行けなくなってしまった　　b．行かないつもりだ
   c．行かないだろう　　　　　　d．行こうと思います
6. 「最近、朝なかなか起きられなくて困っています」「きっと、疲れている（　　　）」
   a．のですよ　　b．のにですよ　　c．からですよ　　d．ことですよ

まとめテスト1　Unit 01〜03　1〜27

I （　　）にひらがなを1字ずつ書きなさい。(1 × 20)　[20]

1. 「キムさんは日本語の新聞（　）読むこと（　）できますか」
2. 「疲れたときは、無理をしないほう（　）いいですよ」
3. 漢字を覚えるため（　）、何回も書いて練習しています。
4. テレビのニュースで、けさ千葉で地震があった（　）言っていました。
5. わたしはまだ一度（　）雪を見たこと（　）ありません。
6. チンさんはきっと合格できるだろう（　）思います。
7. 「何時ごろ電話しましょうか」「何時（　）（　）いいです」
8. あのスーパーの野菜（　）、値段（　）安くてしんせんです。
9. 交流会にはリンさん（　）（　）山田さん（　）（　）、学校の友だちがたくさん参加しました。
10. 北海道（　）ほう（　）九州（　）（　）広いです。
11. 一人で生活する（　）はさびしいが、自由でいい。
12. 天気予報（　）よると、あしたは一日雨だそうだ。
13. このことばを前に習った（　）どう（　）覚えていません。
14. 「チンさんが来月結婚する（　）を知っていますか」
15. 雨が降っている（　）（　）、あの人はかさをささないで歩いています。
16. テイさんはアリさん（　）（　）背が高くありません。
17. （レストランで）「わたしはコーヒー（　）しますが、山田さんは何（　）しますか」
18. あしたは休みな（　）（　）、どこかへ遊びに行くつもりです。
19. ・「漢字を書くの（　）読むの（　）、どちら（　）難しいですか」
　　・「どちら（　）難しいですね」

II （　　　）のことばを適当な形にして_____に書きなさい。（2×20）

1. 冬休みには国へ_____と思っています。（帰る）
2. 「この歌を前に_____ことがありますか」（聞く）
3. 「この漢字の_____方を知っていますか」（読む）
4. 今週はいそがしいから、パーティーへは_____つもりです。（行く）
5. スポーツは_____より_____ほうが楽しいと思います。（見る／する）
6. 毎日練習して、50メートル_____ようになりました。（およぐ）
7. 日本人の友だちができて、日本語が_____なりました。（じょうず）
8. 母の手紙に、先週のお祭りはとても_____と書いてありました。（たのしい）
9. 「ここでたばこを_____ことはできません」（すう）
10. 天気予報で、しばらく雨が_____だろうと言っていました。（つづく）
11. 10年以上飼っていたペットの犬が_____しまいました。（しぬ）
12. 将来医者に_____ために、いっしょうけんめい勉強しています。（なる）
13. 「お昼ごはん、いっしょに_____よ」（食べる）
14. 「このコップは_____やすいですから、注意してください」（われる）
15. あしたは_____ので、ゆっくり休みます。（日よう日）
16. テイさんの話によると、アリさんは歌が_____そうです。（じょうず）
17. 「いやなことは早く_____ほうがいいですよ」（わすれる）
18. 「初めてケーキを焼きました。_____みてください」（食べる）
19. 最近いそがしくて、あまり友だちと_____なりました。（会える）
20. リンさんは子どものころ、サッカーの選手に_____そうです。（なりたい）

35

Ⅲ（　　）に入るのはどれですか。いちばんいいものを一つ選びなさい。

(2 × 20)　40

1．前はいつも車でしたが、今は健康のことを考えて、よく（　　）。
   a. 歩けるようになりました　　　　b. 歩くつもりです
   c. 歩くことができます　　　　　　d. 歩くようになりました

2．「あのレポート、もう書きましたか」
   「まだです。難しくてなかなか（　　）」
   a. 書きません　　b. 書きました　　c. 書けません　　d. 書けました

3．「（　　）人と結婚したいですか」
   「やさしい人がいいですね」
   a. だれ　　　　b. どんな　　　　c. どのくらい　　　　d. どう

4．「この赤いバッグとあの黒いバッグ、どちらがいいと思いますか」
   「赤いバッグ（　　）ね」
   a. のほどです　　b. のようです　　c. のよりです　　d. のほうです

5．疲れたから、早く家に帰って（　　）と思います。
   a. 寝る　　　　b. 寝た　　　　c. 寝られる　　　　d. 寝よう

6．わたしは高校生のとき、1年間アメリカで勉強した（　　）。
   a. ことがあります　b. のがあります　c. ことができます　d. のがありました

7．この料理は簡単だから、（　　）作れます。
   a. なにか　　　　b. だれか　　　　c. なんでも　　　　d. だれでも

8．パソコンにあったメールアドレスを、間違えて全部（　　）。
   a. 消すことがありました　　　　b. 消してしまいました
   c. 消してみました　　　　　　　d. 消すつもりでした

9．きのう、駅の近くで交通事故が（　　）。
   a. あるそうです　　　　b. あるそうでした
   c. あったそうです　　　d. あったそうでした

10．日曜日は家で掃除（　　）洗濯（　　）をします。
    a. や／や　　　b. など／など　　　c. も／も　　　d. とか／とか

11. 「最近、朝なかなか起きられなくて困っています」

    「きっと、疲れている（　　　）よ」

    a. のでです　　　b. からです　　　c. ことです　　　d. のにです

12. 疲れているときは無理を（　　　）。

    a. しないほうがいいです　　　b. してしまいました

    c. したことがありますか　　　d. するのがいいですよ

13. フランス料理は好きですが、毎日（　　　）。

    a. 食べるつもりではありません　　　b. 食べないでしょう

    c. 食べるようにはなりません　　　d. 食べようとは思いません

14. 「春と秋と、（　　　）好きですか」

    a. どれが　　　b. どちらが　　　c. なにが　　　d. どこが

15. 「飛行機で行きますか、新幹線で行きますか」

    「そうですねえ、新幹線（　　　）」

    a. でします　　　b. でなります　　　c. にします　　　d. になります

16. 来週試験があるので、今週はアルバイトを休んで（　　　）。

    a. 勉強するつもりです　　　b. 勉強できるつもりです

    c. すると思いました　　　d. できると思います

17. 上田さんは熱があるのに仕事を（　　　）。

    a. 休みました　　　b. 休んだほうがいいです

    c. 休みませんでした　　　d. 休まないほうがいいです

18. この本はとてもおもしろいと聞いたので、わたしも読んで（　　　）と思います。

    a. みよう　　　b. みて　　　c. しよう　　　d. しまって

19. 「すもうを見たことがありますか」

    「ええ、（　　　）だけですが」

    a. 一度　　　b. 一度も　　　c. 一度でも　　　d. 一度しか

20. コンサートのチケットを買ったのに、（　　　）。

    a. 行かないつもりだ　　　b. かならず行くつもりだ

    c. 行ったことがない　　　d. 行けなくなってしまった

Unit 04 28 〜 35   レベル ★★☆

28 〜(よ)うか／ましょうか

意味 ①いっしょに〜しようと誘う／ Invite to do ~ together ／提议一起做某事／같이~하자고 제안함

1 「3時ですね。そろそろお茶にし<u>ましょうか</u>」「いいですね、そうしましょう」
2 「疲れたんじゃないですか。ちょっと休み<u>ましょうか</u>」「そうですね」
3 「おなかがすいたから、そろそろ帰ろ<u>うか</u>」「うん、帰ろう」

意味 ②申し出／ Proposal, offer ／提出自己要做某事／제안

1 「暑いですね。窓を開け<u>ましょうか</u>」「ええ、お願いします」
2 「のどがかわいたでしょう。お茶をいれ<u>ましょうか</u>」
 「いえ、自分でやりますから、どうぞおかまいなく」
3 「引っ越し、一人でだいじょうぶ？ 手伝お<u>うか</u>」「えっ、いいの？ ありがとう」

29 〜てはいけない

意味 禁止、一般的な注意／ Prohibition, general warning ／禁止，一般性的提醒／금지, 일반적인 주의

接続 動詞のテ形

1 ここにゴミを捨て<u>てはいけません</u>。
2 日本では結婚式のスピーチのときに、「終わる」や「別れる」などのことばを使っ<u>てはいけません</u>。
3 初めて会った人に年齢や収入を聞い<u>てはいけない</u>。
* 「ペットボトルをここに捨て<u>てはだめ</u>よ」

30　～なければならない／なくてはいけない

意味 ～という義務・必要がある／There is an obligation or need to ~ ／必須做～，有義務做～／ ～ 할 의무 ・필요가 있다

接続 動詞のナイ形→　～な~~い~~＋ければならない／くてはいけない

1　上手になるためには、いっしょうけんめいに練習しなければならない。
2　「出発の時間です。そろそろ行かなければなりません」
3　「もう中学生だから、自分のことは自分でしなくてはいけませんよ」
4　「夜寝る前に歯をみがかなくてはいけませんよ。虫歯になりますよ」

31　～てもいい／かまわない

意味 許可／Permission／许可／허가

接続 動詞のテ形

1　「すみません、その辞書を借りてもいいですか」「ええ、どうぞ」
2　「英語で書いてもかまいませんか」「いえ、日本語で書いてください」
3　(医者に)「先生、おふろに入ってもいいでしょうか」
　　「ええ、(入っても) いいですよ／かまいませんよ」
　　「いいえ、入ってはいけません／入らないでください」

～なくてもいい／かまわない

接続 動詞のナイ形→　な~~い~~＋くてもいい／くてもかまわない

1　「時間がありますから、急がなくてもいいですよ」
2　「きらいな人は食べなくてもかまいません」
3　「あやまらなくてもいいですよ。あなたは悪くないのですから」
4　「夏はネクタイをしなくてもいいですか」
　　「ええ、しなくてもいいですよ」
　　「いいえ、ネクタイはかならずしなければなりません」

32 命令の表現

① 動詞の命令形

意味 上に立つ男性が下の人に命令するとき、男性が友だちや目下の人と話すとき、短く表現しなければならないときなどに使う／Used when a man in a superior social position commands a junior, when a man speaks with a friend or junior, when must keep the message short, etc.／地位高的男性命令下属，男性和朋友或下属说话，或者需要简短地表达时使用／지위(나이) 등이 위인 남자가 아랫사람에게 명령할 때, 남자가 친구나 아랫사람에게 말할 때, 짧게 표현하지 않으면 안되는 경우 등에 사용한다.

命令形の作り方
動詞Ⅰ　え段　　書く→書け　　泳ぐ→泳げ　　話す→話せ
　　　　　　　　立つ→立て　　死ぬ→死ね　　遊ぶ→遊べ
　　　　　　　　読む→読め　　乗る→乗れ　　買う→買え
動詞Ⅱ　る→ろ　　起きる→起きろ　　食べる→食べろ
動詞Ⅲ　　　　　　する→しろ　　来る→来い

1　(先輩→後輩)「おい、早くしろ。遅れるぞ」
2　(父→子ども)「もう7時だ。起きろ」
3　(緊急)「危ない！　早く逃げろ」
4　(応援)「もう少しだ。がんばれ！」

② ～なさい

意味 目下の人への命令　①の動詞の命令形よりやわらかいので、女性はこちらをよく使う／Command given to a junior. Women often use this form since is softer than verbal command form in ①／同様是用于对下面的人的命令，但是比①的动词命令形语气委婉，女性常用／아랫사람에게 쓰는 명령. ①의 동사의 명령형 보다 느낌이 부드러워서 여성들은 이 표현을 많이 쓴다.

接続 動詞のマス形

1　父（怒って）「太郎、ちょっと来い」
　　母（怒って）「太郎、ちょっと来なさい」
2　母「もう11時よ。9時に帰ると言ったのに。遅くなるときは連絡しなさい」

注意 引用の「と」の前には命令形が使える。／Can use the command form before quotative「と」．／表示引用的"と"前，可以使用命令形／인용의「と」앞에는, 명령형을 쓸 수 있다.

・先生はいつも、わたしたちに「わからないことばがあるときは、辞書をひきなさい」と言います。
→先生はいつもわたしたちに、わからないことばがあるときは辞書をひけと言います。

③ ～な

意味 禁止（相手に強く言う）／Prohibition (speaking strongly to someone)／禁止（语气强烈）／금지（상대방에게 강하게 말하는 표현）

接続 動詞の辞書形

1 危ない！ 機械にさわる<u>な</u>。
2 「遠慮する<u>な</u>よ。（車に）乗れよ」
3 「危ないからバイクには乗る<u>な</u>、と言ったのに……」

33　～こと／ということ

意味 文の名詞化／Nominalization of phrase／句子的名词化／문장의 명사화

先生から聞きました。＋　アリさんはきのう入院しました。
→　先生から、アリさんがきのう入院したことを聞きました。

接続 【動詞・イ形容詞・ナ形容詞】の名詞修飾形＋こと

【名詞・ナ形容詞】＋であること

【名詞・動詞・イ形容詞・ナ形容詞】のふつう体＋ということ

1 わたしが来月帰国する<u>こと</u>は、まだだれにも言っていません。
2 「わたしが今日休む<u>こと</u>を、先生に伝えてください」
3 母から電話がありました。祖母が元気になった<u>こと</u>を聞いて、安心しました。
4 この部屋が禁煙だ<u>ということ</u>を知らないで、たばこをすってしまいました。
5 日本では車は道の左側を走る<u>ということ</u>を、日本へ来て初めて知りました。
6 この紙には、ビザの更新のときに何が必要か<u>ということ</u>が書いてあります。
7 森さんのお父さんが有名な政治家<u>であること</u>を、最近知った。

注意 「という」は話などの内容を表すので、次のような使い方もある。／「という」indicates what is being spoken about so also has the following usages.／"という"可以像下面这样,表示一句话的内容／「という」는 이야기 등의 내용을 표현함으로, 다음과 같은 사용법도 있다.

1 「立ち入り禁止」はここに入るな<u>という</u>意味です。
2 これは、ウサギとカメが競争してカメが勝った、<u>という</u>話です。

34 あげる／もらう／くれる

意味 ものの授受／Giving and receiving／赠与，接受东西／(어떠한 것에 대한) 주고 받음

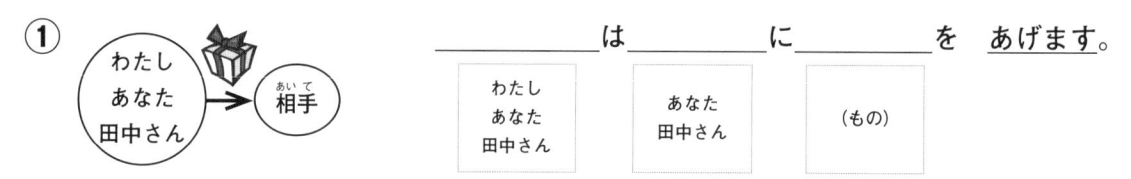

① ｜わたし／あなた／田中さん｜→｜相手｜　　_____は_____に_____を　あげます。

［わたし／あなた／田中さん］　［あなた／田中さん］　［(もの)］

🎧 **1** きのうは母の誕生日でした。わたしは母にセーターをあげました。

2 「もうすぐクリスマスですね。あなたは恋人に何をあげるつもりですか」

注意 相手が喜ぶものでない場合には「あげる」は使わない。／Don't use「あげる」when giving something that doesn't make the recipient happy.／如果不是能让对方高兴的东西，不能用"あげる"／상대방이 기뻐하지 않는 (좋아하지 않는) 경우에는「あげる」는 쓰지 않는다.

× 「先生、この宿題はあしたあげます」→「〜出します」

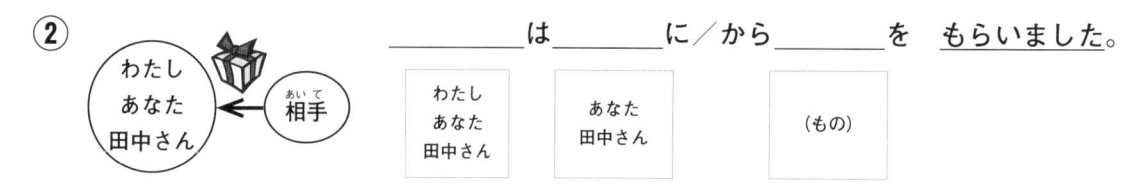

② ｜わたし／あなた／田中さん｜←｜相手｜　　_____は_____に／から_____を　もらいました。

［わたし／あなた／田中さん］　［あなた／田中さん］　［(もの)］

🎧 **1** きのうはわたしの誕生日でした。姉にスカーフをもらいました。

2 「あなたはおこづかいを1カ月にいくらもらっていますか」

3 10年前にあなたにもらった写真は、今も机の上にかざってあります。

注意 相手が学校や会社などのときは「から」しか使えない。／When other party is a school or company can only use「から」／对方如果是学校或公司的话，只能用"から"／상대방이 학교나 회사의 경우에는「から」밖에 쓸 수 없다.

🎧 ・わたしは大学から奨学金を毎月5万円もらっている。

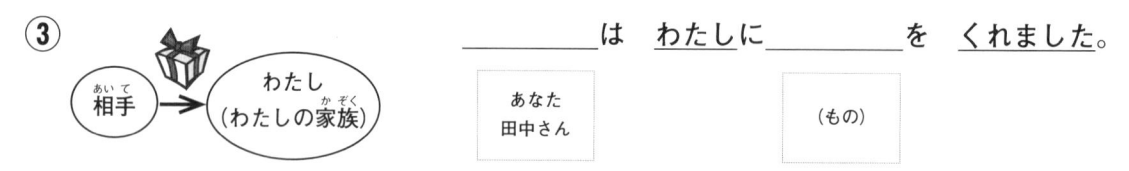

③ ｜相手｜→｜わたし(わたしの家族)｜　　_____は　わたしに_____を　くれました。

［あなた／田中さん］　［(もの)］

🎧 **1** きのうはわたしの誕生日でした。姉は（わたしに）スカーフをくれました。

2 あなたは国へ帰るとき、古い自転車をわたしにくれましたね。とてもうれしかったです。

注意 ①わたしの家族が、家族以外の人からもらったときは、「くれる」を使う。／When my family receives something from someone outside my family, must use「くれる」.／自己的家里人，从别人那里接受东西时，用"くれる"／자기의 가족이, 가족 외의 사람으로 부터 받는 경우에는「くれる」를 쓴다.

・きのうは弟の誕生日でした。母の友人の田中さんが（弟に）本をくれました。

注意 ②相手に質問するときは、「くれる」を使う。／Use「くれる」when asking a question of someone.／提问时，可以用"くれる"／상대방에게 질문할 때에는「くれる」를 쓴다.

・「誕生日に、恋人は（あなたに）何をくれましたか」

35　さしあげる／やる／いただく／くださる

意味 **相手が目上のとき**／When other party is socially a senior／对方是长辈、上司的时候／상대방이 윗사람인 경우

あげる→さしあげる　もらう→いただく　くれる→くださる

相手が目下・動物などのとき／When other party is socially a junior or an animal／对方是比自己地位低的人或动物时／상대방이 아랫사람이거나 동물인 경우

あげる→やる

注意 「くださる」のマス形は「くださいます」となる。／The ます-form of「くださる」is「くださいます」.／"くださる"的マス形是"くださいます"／「くださる」의 マス형은「くださいます」가 된다.

1　わたしは先生に、国のおみやげをさしあげました。
2　チンさんは、先生から本をいただいたと言って、喜んでいた。
3　「きのうはお手紙をいただきまして、ありがとうございました」
4　わたしが帰国するとき、先生は新しい辞書をくださいました。
5　このお菓子は、兄の上司が（兄に）くださったものだと聞きました。
6　母は毎日花に水をやっている。／ペットの犬にえさをやっている。
7　「これ、やるよ」「サンキュー」（男性が友だちとの会話で使う）

Unit 04　28〜35　ディクテーション　CD 05

28　・「3時ですね。そろそろお茶に＿＿＿＿＿＿＿＿＿＿」

　　　「いいですね、＿＿＿＿＿＿＿＿＿＿」

　　・「暑いですね。窓を＿＿＿＿＿＿＿＿＿＿」「ええ、＿＿＿＿＿＿＿＿＿＿」

29　・ここにゴミを＿＿＿＿＿＿＿＿＿＿＿＿＿＿＿。

30　・上手になるためには、いっしょうけんめいに練習＿＿＿＿＿＿＿＿＿＿＿＿＿＿＿。

　　・「もう中学生だから、自分のことは自分で＿＿＿＿＿＿＿＿＿＿よ」

31　・「すみません、その辞書を＿＿＿＿＿＿＿＿＿＿」「ええ、どうぞ」

　　・「時間がありますから、＿＿＿＿＿＿＿＿＿＿よ」

32　・「おい、＿＿＿＿＿＿＿＿＿＿。遅れるぞ」

　　・「もう少しだ。＿＿＿＿＿＿＿＿＿＿！」

　　・父「太郎、ちょっと＿＿＿＿＿＿＿＿＿＿」

　　　母「太郎、ちょっと＿＿＿＿＿＿＿＿＿＿」

　　・危ない！　機械に＿＿＿＿＿＿＿＿＿＿。

33　・「わたしが今日＿＿＿＿＿＿＿＿＿＿を、先生に伝えてください」

　　・この部屋が禁煙だ＿＿＿＿＿＿＿＿＿＿を知らないで、たばこをすってしまいました。

34　・きのうは母の誕生日でした。わたしは母＿＿＿＿セーターを＿＿＿＿＿＿＿＿＿＿。

　　・きのうはわたしの誕生日でした。姉＿＿＿＿スカーフを＿＿＿＿＿＿＿＿＿＿。

　　・わたしは＿＿＿＿＿＿＿＿＿＿奨学金を毎月5万円＿＿＿＿＿＿＿＿＿＿。

　　・きのうはわたしの誕生日でした。姉は（わたし＿＿＿＿）スカーフを＿＿＿＿＿＿＿＿＿＿。

35　・わたしは先生＿＿＿＿、国のおみやげを＿＿＿＿＿＿＿＿＿＿。

　　・チンさんは、先生＿＿＿＿本を＿＿＿＿＿＿＿＿＿＿と言って、喜んでいた。

　　・わたしが帰国するとき、先生は新しい辞書を＿＿＿＿＿＿＿＿＿＿。

　　・母は毎日花＿＿＿＿水を＿＿＿＿＿＿＿＿＿＿。

Unit 04 28〜35　練　習

I　（　）にひらがなを1字ずつ書きなさい。

1．「今日は暑いです（　）。窓を開けましょう（　）」「ええ、お願いします」
2．上手になるためには、毎日練習し（　）（　）（　）（　）ならない。
3．「時間がありますから、急がなく（　）（　）いいですよ」
4．あぶない！　機械にさわる（　）。
5．母の誕生日に、わたしは母（　）セーター（　）あげました。
6．わたしは誕生日に、姉（　）スカーフ（　）もらいました。
7．わたしは大学（　）（　）奨学金（　）毎月5万円もらっている。
8．母の友だちの田中さんが弟（　）本（　）くれました。

II　命令形を書きなさい。

書く		する	
立つ		買う	
見る		来る	
話す		起きる	
乗る		遊ぶ	

III　（　）のことばを適当な形にして＿＿＿＿に書きなさい。

1．「疲れたんじゃないですか。ちょっと＿＿＿＿＿＿ましょうか」（休む）
2．ここにゴミを＿＿＿＿＿＿はいけません。（すてる）
3．「出発の時間です。そろそろ＿＿＿＿＿＿けれはなりません」（行く）
4．「夏はネクタイを＿＿＿＿＿＿くてもいいですか」（する）
5．「あぶないからバイクには＿＿＿＿＿＿な、と言ったのに……」（のる）
6．「わたしが今日＿＿＿＿＿＿ことを、先生に伝えてください」（休む）

7．（応援）「もう少しだ。＿＿＿＿＿＿＿！」（がんばる）

8．先生はいつもわたしたちに、「わからないことばがあるときは辞書を＿＿＿＿＿なさい」と言います。（ひく）

9．「夜寝る前に歯を＿＿＿＿＿＿＿てはいけませんよ」（みがく）

10．わたしが帰国するとき、先生は新しい辞書を＿＿＿＿＿＿＿ました。（くださる）

Ⅳ　正しいものに○をつけなさい。

1．10年前にあなたに（あげた　もらった　くれた）写真は、今も机の上にかざってあります。

2．この本は、兄の上司が（兄に）（くださった　さしあげた　いただいた）ものです。

3．「もうすぐ父の日ですね。お父さんに何を（あげ　もらい　いただき）ますか」

4．チンさんは友だちから自転車を（あげた　もらった　くれた）そうだ。

5．母は毎日ペットの犬にえさを（やって　あげて　もらって）いる。

6．わたしは先生に、国のおみやげを（ください　くれ　さしあげ）ました。

7．「あなたはおこづかいを1カ月にいくら（いただいて　もらって　くれて）いますか」

8．あなたは国へ帰るとき、古い自転車をわたしに（あげ　くれ　もらい）ましたね。とてもうれしかったです。

9．リンさんが食べているおかしがおいしそうだったので、わたしも一つ（あげ　もらい　くれ）ました。

10．「誕生日に、恋人はあなたに何を（あげ　くれ　もらい）ましたか」

11．「先生、この宿題はあした（あげ　だし　くれ）てもいいでしょうか」

V （　　）に入るのはどれですか。いちばんいいものを一つ選びなさい。

1．先生からキムさんが入院した（　　）聞きました。
　　a．ことを　　　b．のが　　　c．かを　　　d．ので

2．「ここにいろ。（　　）よ」
　　a．動け　　　b．動いて　　　c．動くな　　　d．動こう

3．「お手伝い（　　）」「ありがとうございます。お願いします」
　　a．しませんか　　b．しますか　　c．しましょうか　　d．しませんね

4．「これは二人だけのひみつですから、だれにも（　　）」
　　a．言わなければなりません　　　b．言わなくてもいいです
　　c．言わないそうです　　　　　　d．言ってはいけません

5．「お母さん、野菜をぜんぶ（　　）？」「だめ、ぜんぶ食べなさい」
　　a．食べてもいい　　　　　　　　b．食べないほうがいい
　　c．食べなくてもいい　　　　　　d．食べにくい

6．「この薬はかならず飲まなければなりませんか」「いいえ、（　　）」
　　a．飲まなくてはいけません　　　b．痛いときだけでかまいません
　　c．いつでも飲んでいいです　　　d．飲んだほうがいいです

7．「ここにあるおかし、全部（　　）」「いいえ、全部はこまります」
　　a．もらってもいいですか　　　　b．もらってはいけませんか
　　c．もらわなければなりませんか　d．もらわなくてもいいですか

Unit 05　36 ～ 45　レベル ★★

36　～そうだ（様態）

意味 ①様子を見て、～だろうと思う・感じる／ Looking at situation, thinks perhaps ~ or feels perhaps ~ ／从外表、外观、状态来判断，大概～／상황 등을 미루어 보아, ～일 것이라고 생각하다・느끼다．

接続【イ形容詞・ナ形容詞】__φ　ただし、よい→　よさそうだ／ない→　なさそうだ
動詞のマス形

注意 ①名詞を修飾するときは「そうな」、動詞を修飾するときは「そうに」となる。／ When modifying a noun, becomes「そうな」; when modifying a verb, becomes「そうに」．／修饰名词的时候用"そうな", 修饰动词的时候用"そうに"／명사를 수식할 때에는「そうな」, 동사를 수식할 때에는「そうに」가 된다．

🎧 1　今日は寒そうだから、コートを着ていこうと思います。
　　2　（おみまいに行って）「お元気そうですね。安心しました」
🎧 3　彼女に初めて会ったとき、頭の良さそうな人だと思いました。
　　4　公園で子どもたちが楽しそうに遊んでいます。
　　5　「この本は難しくなさそうですよ。読んでみませんか」
　　6　「この袋はじょうぶではなさそうなので、重い物は入れないほうがいいです」
　　7　田中さんをさそおうと思いましたが、いそがしそうだったのでやめました。
🎧 8　「その仕事、今日終わりそうですか」「いいえ、あしたまでかかりそうです」
　　9　「あっ、遅れそう！　どうしよう」

注意 ②見てすぐわかることには使えない。／ Can't use for something that is understood on sight. ／一看就知道，不需要推测的事情上不能用／보고 금방 알 수 있는 경우에는 사용할 수 없다．
　　○　このカバンは重そうです。　　×　このカバンは大きそうです。

注意 ③名詞には続かない。名詞のときは「～ようだ」を使う（→ 46番）。／ Doesn't follow nouns. For nouns, use〔～ようだ〕(→ no. 46) ／不能接在名词后。名词的时候用"～ようだ"(参见 46) ／명사 뒤에는 사용할 수 없다．명사의 경우에는「～ようだ」를 쓴다．(→ 46번)
　　・暗くてよく見えないが、あそこにいるのはキムさんのようだ。

意味 ②様子から考えて、もうすぐ何かが起こるだろうと思う／ Considering the situation, thinks that something will happen soon ／从状态来推断很快就会发生某事／상황 등을 미루어 보아, 곧 어떠한 일이 일어날 것이라고 생각하다．

接続 動詞のマス形

🎧 1　「雨が降りそうだから、かさを持って行きなさい」
🎧 2　今日は雨は降りそうも（／に／にも）ないから、かさはいらないだろう。
　　3　もう二日間寝ていません。倒れそうです。
　　4　痛くて涙が出そうになった。
　　5　子どもは今にも泣きそうな顔をしてお母さんを見ていました。

37 ～ため（に）

意味 原因、理由／Cause, reason／原因、理由／원인・이유

接続 【名詞・イ形容詞・ナ形容詞・動詞】の名詞修飾形

1. 大雨のため、新幹線が遅れています。
2. 熱が高いため、ごはんが食べられません。
3. このあたりは駅から遠くて不便なため、自転車を利用する人が多い。
4. 太ったために、今までの洋服が着られなくなった。
* パソコンがこわれた。そのため、メールが見られなかった。

注意 ①「～ため」の後ろには「～だろう」「～したい」などの表現は使えない。／Can't use the expressions「～だろう」「～したい」, etc. after「～ため」．／"～ため"的后面不能用"～だろう""～したい"等表达方式／「～ため」뒤에는「～だろう」「～したい」등의 표현을 쓸 수 없다．

× あと10分しかないため、いそいだほうがいい。 → あと10分しかないから～

注意 ②→ 10番（「目的」「利益」を表す「ため（に）」）／→ no. 10.「ため（に）」expressing objective or profit/benefit／参照10表示目的,利益的"ため（に）"／→ 10번「목적」「이익」을 표현하는「ため（に）」

---

38 ～すぎる

意味 ちょうどいい程度を超えている／Exceeds perfect level／太～（超出了正好的程度）／적당한 정도를 넘은 상태

接続 動詞のマス形／[イ形容詞・ナ形容詞] ＿∅

1. 食べすぎて、おなかが痛くなってしまいました。
2. 先月はお金を使いすぎてしまいました。今月は貯金しようと思います。
3. この問題はわたしには難しすぎる。ぜんぜんわからない。
4. いそがしすぎるのも困るが、ひますぎるのもいやだ。
5. うちは6人家族だから、このアパートはせますぎる。

注意 「～すぎ」という名詞の形でも使う。／Also used in the nominal form,「～すぎ」．／"～すぎ"可以作为名词用／「～すぎ」라는 명사형으로도 쓸 수 있다．

1. 食べすぎ飲みすぎは体に良くありません。
2. テレビの見すぎに注意しましょう。

39 ～ておく

意味 目的があって、(前もって)～する／Do ~ in preparation for an objective／为了某一目的，事先做好～／목적을 위해서, (미리) ~ 하다

接続 動詞のテ形

1　あした友だちが来るので、飲み物と食べ物をたくさん買っておきました。
2　「来週は第3課を読みますから、ことばの意味を調べておいてください」
3　卒業する前に、運転免許を取っておこうと思います。
4　「使ったものは、元の場所に戻しておいてください」
5　「このはさみ、どこにかたづけましょうか」「机の上に置いておいてください。あとでかたづけますから」

40 (～も)…し、～も

意味 (＋)と(＋)、または(－)と(－)を並べて言う／Lists up likes (+) (+) or unlikes (-) (-).／～又…, ～又…（将两件以上的事情并列起来说的时候使用）／(＋)와 (＋), 또는 (－)와 (－)를 나열해서 말하다.

接続 ～は名詞　……は【動詞・イ形容詞・ナ形容詞】のふつう体

1　チンさんは日本語も話せるし、英語も上手です。
2　「あのレストランは味もいいし値段も安いから、よく行きます」
3　荷物も多かったし雨も降っていたから、タクシーで行きました。
4　わたしの部屋はせまいし暗いし家賃も高いので、早く引っ越したいです。
5　あの女優は美人だしスタイルもいいので、男性のファンが多い。

41 ～でも

意味 ～も(だから、もちろん～も)／Also ~, so of course, ~／连～都…(所以～就不用提了)／～도 ……(그래서, 당연히 ~도)

接続 名詞

1　この問題はやさしいから、小学生でもできるでしょう。(中学生はもちろんできる)
2　この料理は簡単そうだから、わたしでも作れそうです。
3　あの歌手は夏でも首にスカーフを巻いて寝るそうです。
4　兄は雨の日でもジョギングを休みません。

42 〜のようだ

意味 比喩（事実ではない）、〜と似ている／ Metaphor (not fact), resembles ~ ／比喩（不是事实），和〜相像／비유（사실이 아님），〜와 비슷하다

接続 名詞

注意 名詞を修飾するときは「〜のような」、動詞・形容詞を修飾するときは「〜のように」となる／ When modifying a noun, becomes「〜のような」; when modifying a verb, adjective, becomes「〜のように」. ／修飾名詞时用"〜のような"，修飾动词和形容词时用"〜のように"／명사를 수식할 때에는「〜のような」, 동사・형용사를 수식할 때에는「〜のように」가 된다．

1. まだ２月なのに、今日は暖かくて春のようです。
2. あの二人はまるで兄弟のように仲がいいです。
3. 「このせっけん、いいにおいですね。バラの花のような香りがしますね」
4. 10年前のことだが、まるできのうのことのようにはっきりと覚えている。
* オリンピックで金メダルを取った。まるで夢を見ているようだ。

---

43 〜ことが（も）ある

意味 そういうときもある／ There are also occasions when ~ ／有时会有〜事情／그러한 경우도 있다

接続 動詞の辞書形

1. テイさんはとても日本語が上手だが、ときどき「は」と「が」をまちがえることがある。
2. 「晩ごはんは自分で作るのですか」「ええ、でもたまに、外食することもあります」
3. 苦しくて、泣きたくなることがある。でも、最後までがんばるつもりだ。
4. 「仕事や勉強がいやになることがありませんか。そういうときは好きなことをして、気分を変えたほうがいいですよ」

注意 動詞のタ形＋ことがある（11番）とは意味が違う。／ Has different meaning than た-form of verb + ことがある (no. 11) ／和"动词的タ形＋ことがある"（参见11）的意思不同／동사의 タ형＋ことがある (11번) 와는 뜻이 다르다．

44 〜のだ

意味 状況の説明（理由、解釈など）、（疑問文では）説明してほしいという気持ち／Explains situation (reasons, interpretations); with interrogatives, indicates feeling that speaker would like to have ~ explained. ／対状況的説明（説明理由、做解釈）。(疑問句中) 表示希望得到対方的説明／상황의 설명 (이유 , 해석 등), (의문문에서는) 설명해 주길 바라는 마음

接続 名詞＋な／【動詞・イ形容詞・ナ形容詞】の名詞修飾形

注意 ①疑問詞を含む疑問文に「の」を使わないと、不自然になることが多い。／If「の」is not used in an interrogative sentence containing an interrogative word, the sentence often sounds unnatural. ／有疑問詞的句子不使用 "の"，会让人感覚不自然／의문사를 포함한 의문문에「の」를 쓰지 않으면 , 어색하게 들리는 경우가 많다 .

1 「きのう、どうして休んだのですか」「頭が痛かったのです」
2 「だれがこのコップを割ったのですか」「すみません、わたしです」
3 「食べないんですか」「ええ、おなかがいっぱいなんです」
4 「あなたはまだ学生なのだから、アルバイトより勉強のほうがだいじですよ」
5 田中さんは最近顔色がよくない。きっと、疲れているのだろう。

注意 ②会話では「の」は「ん」と発音することが多い。／In conversation,「の」is often pronounced「ん」. ／在会話中，"の"的発音常常変成 "ん"／회화에서는 ,「の」는「ん」으로 발음하는 경우가 많다 .

45 〜も

意味 数量が多いことを強調する／Emphasizes fact of large quantity ／強調数量多／수량이 많은 것을 강조한다 .

接続 数量詞＋も

1 ここはコーヒーがおいしくて有名なんですが、1杯1,000円もします。
2 コンサートには1万人もの人が集まったそうです。
3 「きのうは暑かったですね」
 「ええ、本当に暑かったですね。最高気温が36度もあったそうですよ」

Unit 05　36〜45　ディクテーション

36
- 今日は＿＿＿＿＿＿＿＿＿＿＿＿から、コートを着ていこうと思います。
- 彼女に初めて会ったとき、頭の＿＿＿＿＿＿＿＿＿＿＿＿人だと思いました。
- 「その仕事、今日＿＿＿＿＿＿＿＿＿＿＿＿か」「いいえ、あしたまで＿＿＿＿＿＿＿＿＿＿＿＿」
- 「雨が＿＿＿＿＿＿＿＿＿＿＿＿から、かさを持って行きなさい」
- 今日は雨は＿＿＿＿＿＿＿＿＿＿＿＿から、かさはいらないだろう。

37
- 大雨＿＿＿＿＿＿＿、新幹線が遅れています。

38
- ＿＿＿＿＿＿＿＿＿＿＿＿、おなかが痛くなってしまいました。
- この問題はわたしには＿＿＿＿＿＿＿＿＿＿＿＿。ぜんぜんわからない。
- ＿＿＿＿＿＿＿＿＿＿＿＿は体に良くありません。

39
- あした友だちが来るので、飲み物と食べ物をたくさん＿＿＿＿＿＿＿＿＿＿＿＿。

40
- チンさんは日本語＿＿＿話せる＿＿＿、英語＿＿＿上手です。

41
- この問題はやさしいから、＿＿＿＿＿＿＿＿＿＿＿＿できるでしょう。

42
- まだ2月なのに、今日は暖かくて＿＿＿＿＿＿＿＿＿＿＿＿。

43
- 「晩ごはんは自分で作るのですか」「ええ、でもたまに、外食＿＿＿＿＿＿＿＿＿＿＿＿」

44
- 「きのう、どうして＿＿＿＿＿＿＿＿＿＿＿＿」「頭が痛かった＿＿＿＿＿＿＿」

45
- 「ここはコーヒーがおいしくて有名なんですが、1杯＿＿＿＿＿＿＿＿＿＿＿＿します」

53

Unit 05　36～45　　練習

I　(　)にひらがなを1字ずつ書きなさい。

1. 公園で子どもたちが楽しそう（　）遊んでいます。
2. チンさんは日本語（　）話せる（　）、英語（　）上手です。
3. この料理はかんたんそう（　）から、わたし（　）（　）作れます。
4. 大雨（　）ため、新幹線がおくれています。
5. まだ2月なのに、今日は暖かくて春（　）ようです。
6. ときどき苦しくて、泣きたくなるとき（　）ある。
7. 子どもは泣きそう（　）顔をして、お母さんを見ていました。
8. 「きのう、どうして休んだ（　）ですか」「頭が痛かった（　）です」
9. きのうは最高気温が36度（　）あったそうだ。
10. 「こんなにたくさん食べられそう（　）ありません」

II　(　　)のことばを適当な形にして＿＿＿＿に書きなさい。

1. はじめて会ったとき、頭の＿＿＿＿＿＿＿＿人だと思いました。（いい＋そう）
2. この本はあまり＿＿＿＿＿＿＿＿から、読んでみようと思います。（むずかしくない＋そう）
3. 「このふくろは＿＿＿＿＿＿＿＿ので、重い物は入れないほうがいいですよ」（じょうぶではない＋そう）
4. 痛くて涙が＿＿＿＿＿＿＿＿なりました。（出る＋そう）
5. このあたりは交通が＿＿＿＿＿＿＿＿ため、車を利用する人が多いです。（ふべん）
6. この問題はわたしには＿＿＿＿＿＿＿＿すぎる。ぜんぜんわからない。（むずかしい）
7. 先月はお金を＿＿＿＿＿＿＿＿すぎてしまいました。（つかう）
8. あした友だちが来るので、食べ物をたくさん＿＿＿＿＿＿＿＿おきました。（買う）
9. あのレストランは味も＿＿＿＿＿＿＿＿し、値段も安いです。（いい）
10. 「あの女優は＿＿＿＿＿＿＿＿し、スタイルもいいですね」（美人）
11. 「だれがこのコップを＿＿＿＿＿＿＿＿のですか」（わる）
12. 晩ごはんはたいてい自分で作りますが、たまに外食＿＿＿＿＿＿＿＿こともあります。（する）

Ⅲ 正しいものに○をつけなさい。

1. 猫が気持ち（よい　よさ）（そうな　そうに）寝ています。
2. 友だちの話によると、あの店のケーキは（おいし　おいしい）そうです。
3. 「その仕事、あと1時間で終わりそうですか」「いいえ、1時間では（終わるそうではありません　終わりそうもありません）」
4. きのう、北海道で雪が（降ったそうです　降るそうでした　降ったそうでした）。
5. あ、ボタンが（取れ　取る）そうだ。ほかのシャツを着よう。
6. 「（おいし　おいしい）（そうな　そうに）おかしですね。わたしにも一つください」
7. 鳥の（ような　ように）空を飛びたい。
8. あした友だちが来るので、今日、部屋をそうじして（おきました　ありました）。
9. 「あの難しい本を、3日で読んで（おいた　しまった）のですか。すごいですね」
10. （店で）「すみません、そのコート、ちょっと着て（おいても　しまっても　みても）いいですか」
11. 試験の前なのに、かぜをひいて（おき　しまい　み）ました。
12. 「スキーを（する　した）ことがありますか」「ええ、一度」
13. 「アイスクリームを六つ（しか　も　だけ）食べたんですか。食べすぎですよ」
14. この本は難しいから、上級レベルの学生（だけ　でも）読めないでしょう。

Ⅳ （　　）に入るのはどれですか。いちばんいいものを一つ選びなさい。

1. ときどき、子どものころのゆめを（　　　）があります。
   a．見るの　　b．見たの　　c．見ること　　d．見たい
2. きのうテニスを（　　　）、うでが痛いです。
   a．したことがあって　　b．してみて
   c．しておいて　　d．しすぎて
3. あの川は海の（　　　）広いです。
   a．ように　　b．そうに　　c．ような　　d．そうな
4. 「わたしのアパートは駅から近くて（　　　）、家賃も安いんです」
   a．べんりから　　b．べんりだから　　c．べんりし　　d．べんりだし
5. この国は暖かいので、（　　　）コートはいりません。
   a．冬でも　　b．夏でも　　c．夏しか　　d．冬だけ
6. 「夏休みにいっしょに旅行に行きませんか」
   「すみません、夏休みは帰国するつもり（　　　）」
   a．からです　　b．なんです　　c．ので　　d．なんですから

Unit 06 46〜55   レベル ★★☆

46 〜ようだ

意味 推量（はっきりしないが）〜と思われる／Conjecture (not certain, but) is thought to be 〜／推测（不是很清楚）好像〜／추측(확실하지는 않지만) 〜 라고 생각되다.

接続 【名詞・動詞・イ形容詞・ナ形容詞】の名詞修飾形

1 部屋の電気がついている。アリさんは部屋にいるようだ。
2 田中さんは歌が好きなようです。よく歌っています。
3 「この地図を見てください。駅はここからあまり遠くないようですよ」
4 「このノート、だれのでしょうか」「テイさんのノートのようですよ。ここにTと書いてありますから」
5 のどが痛い。かぜをひいたようだ。
6 「オウさん、このごろやせたようですね。どうしたのですか」

47 〜らしい

接続 名詞／【動詞・イ形容詞・ナ形容詞】のふつう体
ただし、ナ形容詞現在形に「だ」はつかない

意味 ①推量／Conjecture／推测／추측

1 リンさんは最近とてもきれいになった。恋人ができたらしい。
2 暗くてよく見えないが、雨が降っているらしい。みんな、かさをさして歩いている。
3 あの店の店員さんはよく雑誌を読んでいる。店がひまらしい。
4 父は仕事がいそがしいらしくて、毎晩帰りが遅い。

意味 ②不確かな伝聞（うわさ話によく使う）／Unreliable hearsay (often used for gossip)／不确切的传闻（常用在传闻中）／불확실한 전달문 (소문 등에 잘 쓰인다)

1 「テイさんとアリさんはこのごろあまり話をしませんね」
  「ええ、けんかをしたらしいですよ」
2 「あのレストラン、いつもすいていますね」
  「ええ、うわさでは、あまりおいしくないらしいですよ」
3 歌手のAとBが結婚するらしいといううわさだ。

48　～かもしれない

意味 推量（～の可能性がある）／ Conjecture (is possibility of ~)／推測（有～的可能性）／추측（～의 가능성이 있다）

接続 名詞／【動詞・イ形容詞・ナ形容詞】のふつう体
ただし、ナ形容詞現在形に「だ」はつかない／「から」「ため」などの助詞

1　よく練習したので強くなった。あしたの試合は勝てる<u>かもしれない</u>。
2　「来週はひまですか」
　　「ひま<u>かもしれない</u>し、いそがしい<u>かもしれない</u>し……。まだわかりません」
3　「アリさん、まだ来ませんね。遅いですね」
　　「もしかしたら、約束を忘れているの<u>かもしれません</u>ね」
4　頭が痛い。きのう、あまり寝ていないから<u>かもしれない</u>。

49　～ところだ

意味 ①ある行為をする直前／ Just before doing a certain action ／就在做某事之前／어떠한 행위를 하려고 하는 직전

接続 動詞の辞書形

1　「もう昼ごはんを食べましたか」「いいえ、これから食べに行く<u>ところです</u>」
2　（電話の相手に）「今から出かける<u>ところ</u>なんです。あとでこちらから電話しますね」

意味 ②今、ある行為をしている／ Doing a certain action now ／正在做某事／지금, 어떠한 행위를 하고 있다

接続 動詞＋ている

1　「あの仕事、もう終わりましたか」「いいえ、今やっている<u>ところです</u>」
2　「お母さん、おなかすいた。ごはん、まだ？」「今作っている<u>ところよ</u>」
3　地震が起こったとき、わたしはちょうどおふろに入っている<u>ところだった</u>。

意味 ③ある行為が終わった直後／ Just after a certain action is over ／剛剛做完某事／어떠한 행위가 끝난 직후

接続 動詞のタ形

1　（電話で）「今、どこ？」「今、駅に着いた<u>ところ</u>」
2　（バス停で）「バスは1分前に出た<u>ところだ</u>。次のバスまで20分待たなければならないね」

50 〜ばかり

意味 ①同じものをよく〜する／Keep doing the same action often／总是吃 (学、做等) 某个东西／같은 것을 자주 〜 하다

接続 名詞

1 「お肉ばかり食べないで、野菜も食べなさい」
2 今年の夏休みは苦手な漢字の勉強ばかりしていました。
3 今日は朝からミスばかりしている。どうしたんだろう。

意味 ②同じことを何度もする／Do the same action repeatedly／同一件事情做好几次／같은 내용이나 행동을 몇번이고 (되풀이) 하다

接続 動詞のテ形＋ばかり＋いる

1 うちの子は遊んでばかりいて、ぜんぜん勉強しない。
2 お母さんは怒ってばかりいる。
3 「人の意見を聞いてばかりいないで、自分の意見も言いましょう」

51 〜がる／〜たがる

意味 三人称（彼、彼女、田中さんなど）の感情、感覚、希望、願望／Feelings, sensations, hopes, and desires of third person (he, she, Mr. Tanaka, etc.)／表示第三人称 (彼、彼女、田中さん) 的感情、感觉、希望、愿望／3인칭 (그 , 그녀 , 田中 씨 등) 의 감정 , 감각 , 희망 , 원망 (願望)

接続 感情や感覚を表す形容詞＿∅＋がる／〜たい →たがる

1 運動会が中止になったと聞いて、弟は残念がっていました。
2 「今度の山登りに友だちも行きたがっているんですけど、いっしょに行ってもいいですか」
3 小さな子どもがおもちゃをほしがって泣いています。
4 最近の子どもは家でゲームばかりしていて、外で遊びたがらない。
5 こんな暑い日は、だれも外へ出たがらない。
6 「人のいやがることはしないほうがいいです」

52 〜だす／はじめる／おわる／つづける

接続 動詞のマス形

〜だす／はじめる

意味 行為・できごとの開始／Beginning of an action or event／行为动作的开始／행위・사건 등의 개시

1. 家に帰る途中で、雨が降りだした。
2. 急に子どもが泣きだしたので、びっくりして理由を聞いた。
3. 何もしていないのに、急にエレベーターが動きだした。
4. ピアノを習いはじめてからもう3年になるが、なかなか上手にならない。
5. 10時のニュースを見てから宿題をやりはじめたので、寝るのが遅くなった。

〜おわる

意味 行為の終了／Completion of an action／行为的结束／행위의 종료

1. この本は先月から読みはじめたが、まだ読みおわらない。
2. 「食べおわった人は、お皿をここまで運んでください」

〜つづける

意味 行為の継続／Continuation of an action／行为的继续／행위의 지속(계속되고 있는 상태)

1. 途中で足が痛くなったが、最後まで走りつづけた。
2. 久しぶりに会った友だちと、朝まで話しつづけた。
3. 何時間も考えつづけているが、答えがわからない。
4. 彼はまだ昔の恋人のことを思いつづけているらしい。
* もう3日も雨が降りつづいている。(「降る」の場合は「つづく」も使う)

53 ～でも

意味 例を示す／Give an example／举例／예를 제시하다

接続 名詞

1 「のどがかわきましたね。冷たいジュースでも飲みませんか」
2 「春子さん、今度の日曜日に、いっしょに映画でも見に行きませんか」
3 「勉強で疲れたときは、散歩でもして気分を変えたほうがいいですよ」

54 ～の

意味 質問（会話で使う）／Questions (used in conversation)／疑问（用于会话）／질문 (회화에서 사용한다).

接続 名詞＋な／【動詞・イ形容詞・ナ形容詞】の名詞修飾形＋の

1 「いつ国へ帰るの？」「来週」
2 「そのシャツ、いいわね。どこで買ったの？」
3 「その本、もう読み終わったの？　じゃ、貸して」

55 ～かな（あ）

意味 疑問（ひとりごと／相手への問いかけ）／Doubt, question (aloud to oneself or when asking others)／疑问（自言自语，询问对方）／의문 (혼잣말 / 상대방에게 던지는 질문)

接続 【名詞・動詞・イ形容詞・ナ形容詞】のふつう体

1 なんか、おもしろいことないかなあ。
2 あしたのパーティー、行こうかなあ、やめようかなあ、どうしようかなあ。
3 「この問題、ちょっと難しいけど、できるかな」「できるよ、きっと」
4 「渡辺さん、最近連絡がないけど、元気なのかな、どうしているのかな」
「ほんとうだね。久しぶりに電話でもかけてみようか」
5 「来年、64歳になります。仕事をやめたあと、もう一度大学で勉強しようかなと思っております」

Unit 06　46〜55　ディクテーション

46　・部屋の電気がついている。アリさんは部屋に＿＿＿＿＿＿＿＿＿＿＿＿＿＿＿＿。

47　・あの店の店員さんはよく雑誌を読んでいる。店が＿＿＿＿＿＿＿＿＿＿＿＿＿＿＿＿。

　　　・「テイさんとアリさんはこのごろあまり話をしませんね」

　　　　「ええ、けんかを＿＿＿＿＿＿＿＿＿＿＿＿＿ですよ」

48　・よく練習したので強くなった。あしたの試合は＿＿＿＿＿＿＿＿＿＿＿＿＿＿＿＿。

49　・「もう昼ごはんを食べましたか」

　　　　「いいえ、これから食べに＿＿＿＿＿＿＿＿＿＿＿＿＿＿＿」

　　　・「あの仕事、もう終わりましたか」「いいえ、今＿＿＿＿＿＿＿＿＿＿＿＿＿

　　　　＿＿＿＿＿＿」

　　　・「今、どこ？」「今、駅に＿＿＿＿＿＿＿＿＿＿＿＿＿＿＿＿＿」

50　・「＿＿＿＿＿＿＿＿＿＿＿＿＿＿＿食べないで、野菜も食べなさい」

　　　・うちの子は＿＿＿＿＿＿＿＿＿＿＿＿＿＿＿＿＿、ぜんぜん勉強しない。

51　・小さな子どもがおもちゃを＿＿＿＿＿＿＿＿＿＿＿＿＿泣いています。

52　・家に帰る途中で、雨が＿＿＿＿＿＿＿＿＿＿＿＿＿＿。

　　　・この本は先月から読みはじめたが、まだ＿＿＿＿＿＿＿＿＿＿＿＿＿＿＿＿。

　　　・久しぶりに会った友だちと、朝まで＿＿＿＿＿＿＿＿＿＿＿＿＿＿＿＿。

53　・「のどがかわきましたね。冷たい＿＿＿＿＿＿＿＿＿＿＿飲みませんか」

54　・「そのシャツ、いいわね。＿＿＿＿＿＿＿＿＿＿＿＿＿＿＿＿＿＿＿」

55　・「この問題、ちょっと難しいけど、＿＿＿＿＿＿＿＿＿＿」「できるよ、きっと」

Unit 06 46〜55 練習

I （　）にひらがなを1字ずつ書きなさい。

1. 「のどがかわきましたね。冷たいジュース（　）（　）飲みませんか」
2. 「いつ国へ帰る（　）？」「来週」
3. 「これはテイさんのカバン（　）ようです。ここにTと書いてありますから」
4. 頭が痛い。きのう、あまり寝ていない（　）（　）かもしれない。
5. 「人のいや（　）（　）ことはしないほうがいいですよ」
6. 「お肉（　）（　）（　）食べないで、野菜も食べなさい」
7. 「この問題、わたしにできる（　）（　）」「できるよ、きっと」

II （　　）のことばを適当な形にして＿＿＿に書きなさい。

1. 田中さんは歌が＿＿＿＿＿＿ようです。よく歌っています。（すき）
2. リンさんは最近とてもきれいになった。恋人が＿＿＿＿＿＿らしい。（できる）
3. 「もう昼ごはんを食べましたか」「いいえ、これから食べに＿＿＿＿＿ところです」（行く）
4. うちの子どもは＿＿＿＿＿＿ばかりいて、ぜんぜん勉強しない。（あそぶ）
5. 「来週はひまですか」「＿＿＿＿＿＿かもしれないし、＿＿＿＿＿＿かもしれないし、まだわかりません」（ひま／いそがしい）
6. 「あの仕事、もう終わりましたか」「いいえ、今＿＿＿＿＿＿ところです」（やる）
7. 家に帰る途中で、雨が＿＿＿＿＿＿だした。（ふる）
8. 「今、どこ？」「今、駅に＿＿＿＿＿＿ところ」（つく）
9. こんな暑い日には、だれも外へ＿＿＿＿＿＿がらない。（出たい）
10. のどが痛い。かぜを＿＿＿＿＿＿ようだ。（ひく）
11. 何時間も＿＿＿＿＿＿つづけているが、答えがわからない。（かんがえる）
12. 運動会が中止になったと聞いて、弟は＿＿＿＿＿＿がっていました。（ざんねん）
13. 「あしたのパーティー、＿＿＿＿＿＿かなあ、＿＿＿＿＿＿かなあ」「行こうよ」
（行く／やめる）

Ⅲ 正しいものに○をつけなさい。

1．あの店は店員さんがよく雑誌を読んでいる。ひま（ようだ　らしい　ことがある）。
2．何もしていないのに、急にエレベーターが動き（つづけた　おわった　だした）。
3．「オウさん、このごろやせた（よう　らしい　そう）ですね。どうしたのですか」
4．「今から出かける（ところ　ばかり　よう）なんです。あとでこちらから電話します」
5．小さな子どもがおもちゃを（ほしいがって　ほしくがって　ほしがって）泣いています。
6．「春子さん、ちょっと休んで、コーヒー（だけ　でも　と）飲みませんか」
7．「夏休みは何をするつもり？」「うん、1週間ぐらい、自転車で旅行しよう（かな　とか　でも）と思って」

Ⅳ （　　）に入るのはどれですか。いちばんいいものを一つ選びなさい。

1．「あのレストラン、いつもこんでいますね」
　「ええ、友だちの話によると、とても（　　　）よ」
　a．おいしそうです　　　　　　　b．おいしいようです
　c．おいしいらしいです　　　　　d．おいしいかもしれません

2．母　「まだ宿題やってないの？　早くしなさい」
　子ども「うるさいなあ。今、（　　　）だよ」
　a．やったところ　　　　　　　　b．書いたから
　c．書きだした　　　　　　　　　d．やっているところ

3．「今日は暑かったですね。あしたも暑いでしょうか」「（　　　）」
　a．さあ、どうでしょう。暑いかもしれませんね
　b．なるほど、とても暑いらしいですね
　c．いいえ、暑そうですよ
　d．ええ、あしたも暑くないでしょう

4．「どうしたのでしょう。この子、急に泣きだしてしまって」
　「ミルクを（　　　）んじゃないの？」「ああ、そうかもしれない」
　a．飲みそうな　b．飲まない　c．飲みたがっている　d．飲んだところ

5．（レストランで）「ビールでもどう？」「はい、（　　　）」
　a．いただきます　b．おいしいです　c．好きでした　d．飲んでみました

6．友だちがうちへ迎えに来たとき、わたしはちょうどごはんを（　　　）。
　a．食べつづけました　　　　　　b．食べおわったところでした
　c．食べてばかりいました　　　　d．食べたことがありました

63

Unit 07　56〜65

レベル ★★☆

56 〜と

意味 ①〜の場合は（いつも）…だ／ In cases of ~, always ~ ／〜的时候,总是…／ 〜의 경우에는 (언제나) …이다

接続【名詞・動詞・イ形容詞・ナ形容詞】の現在形（ふつう体）
ただし、ナ形容詞・名詞の否定形は次のようになる。→元気でない、学生でない

1. このあたりでは、3月の終わりごろになるとさくらが咲きます。（自然現象）
2. あの角を曲がると駅があります。（道順を言う）
3. このボタンを押すとおつりが出ます。（機械の操作）
4. 天気がいいと、この窓から富士山が見える。
5. わたしは部屋が静かでないと勉強できない。
6. 20人以上の団体だと、1割引きになります。

注意 後ろに意志、希望、命令、依頼などの表現は続かない。／ Expressions of intention, hope, commands, or requests do not follow ／后面不能跟表示意志、希望、命令、请求的表达方式／뒤에 의지, 희망, 명령, 의뢰 등의 표현은 올 수 없다.

× 暑いと窓を開けてください。（→暑かったら〜 ）（→57番）
× 高校を卒業すると、留学するつもりだ。（→高校を卒業したら〜）（→57番）

意味 ②前のことが起こったあと、すぐに次のことが起こる／ After one action happens, another immediately follows ／前面的事情发生后，紧接着后面的事情就发生／앞의 일이 일어난 다음, 금방 다음의 일이 일어나다

接続 動詞の辞書形

1. 窓を開けると涼しい風が入ってきた。
2. 電話をかけると、5分で救急車が来た。
3. わたしはうちへ帰るとすぐテレビをつけるんです。

意味 ③前のことをした結果、それ以前に〜であったことがわかった／ As a result of doing ~ before, realized had been ~ prior to that ／做了前面的事情后，结果发现了后面的事情已经发生了／앞의 일을 한 결과, 그 전에는 〜 이었던 것을 알았다

接続 動詞の辞書形

1. うちへ帰ると、友だちから手紙が来ていた。
2. 窓の外を見ると、雪がつもっていた。

57 〜たら

接続【動詞・イ形容詞・ナ形容詞】のタ形＋ら／名詞＋だったら

例：する→したら　安い→安かったら　元気→元気だったら　学生→学生だったら

＊いい→よかったら　＊元気ではない→元気でなかったら　＊学生ではない→学生でなかったら

意味 ①もし〜（仮定条件）／ If (subjunctive) ／如果〜（表示假定条件）／만약 〜 (가정 조건)

1 「あした天気がよかったら、海へ行きませんか」
2 お金と時間があったら、船で世界旅行をしたい。
3 「きらいだったら食べなくてもいいですよ」
4 「漢字が読めますか」「ええ、簡単な漢字だったら読めます」

接続 動詞のタ形＋ら

意味 ②〜した（／なった）あとで…する／ do ~ after having done/become ／做完〜之后，就做…／〜한 (／된) 다음에 …하다

1 冬休みになったら帰国するつもりだ。
2 「この仕事が終わったら帰ってもいいですか」
3 「駅に着いたら電話してください。迎えに行きますから」

意味 ③〜した結果、…になった／ As a result of having done ~, became ~ ／做了〜,结果…／〜한 결과, …가 되었다

1 エアコンをつけたらすぐに暖かくなった。(＝56番の②)
2 久しぶりに運動したら、体が痛くなった。

意味 ④前のことをした結果、それ以前に〜であったことがわかった（＝56番の③）／ As a result of having done something before, a prior situation comes to light (see: no. 55,③)／做了前面的事情后，结果发现了后面的事情已经发生了（参见55的③）／앞의 일을 한 결과, 그 전에는 〜이었던 것을 알았다 (＝ 55 번의 ③)

1 デパートへ行ったら休みだった。
2 1分遅れて教室に入ったら、もう授業は始まっていた。

注意「と」や「ば」（58番）より、会話で使うことが多い。1回だけのことに使うことが多い。／ Used more often in conversation than「と」and「ば」(no. 58); used more often than「と」and「ば」(no. 58) for events that happen only once.／和"と""ば"(参见58)比起来，在会话中使用的较多。和"と""ば"(参见58)比起来,多用于只发生一次的情况下／「と」나「ば」(58 번) 보다 회화에 많이 사용되고, 한번으로 끝나는 경우에 사용되는 경우가 많다.

58 ～ば（仮定形）

仮定形の作り方

動詞Ⅰ	え段＋ば	書く→書けば	泳ぐ→泳げば
		話す→話せば	立つ→立てば
		死ぬ→死ねば	呼ぶ→呼べば
		読む→読めば	乗る→乗れば
		買う→買えば	
動詞Ⅱ	る→れば	起きる→起きれば	
		食べる→食べれば	
動詞Ⅲ		する→すれば	来る→来れば
イ形容詞	い→ければ	高い→高ければ　＊いい→よければ	
		高くない→高くなければ	
ナ形容詞	だ→なら（ば）	元気だ→元気なら	
		元気ではない→元気でなければ	
名詞	だ→なら（ば）	学生だ→学生なら	
		学生ではない→学生でなければ	

意味 もし～（仮定条件）／If (subjunctive)／如果～（表示假定条件）／만약 ~ (가정 조건)

1　8時にうちを出れば、8時15分の電車に間に合うでしょう。
2　「日本語の新聞が読めますか」「ええ、辞書を使えば」
3　天気がよければ、ここから富士山を見ることができます。
4　「食べたくなければ食べなくてもいいですよ」
5　「今度の日曜日、もしひまなら遊びに来てください」
6　日本語が上手でなければこの仕事はできません。
7　もうすぐ子どもが生まれます。名前は、男の子なら「一郎」、女の子なら「さくら」にするつもりです。
8　「いくらですか。1万円ぐらいなら払えますけど」

注意 文末は過去形にならない。（＝結果が出ている文には使えない） ／ Sentence ending cannot be in past tense (can't use in sentences in which result is known) ／句末不能用过去时（已经知道结果的句子不能用）／문말표현은 과거형이 되지 않는다．（＝결과가 나와 있는 문장에는 쓸 수 없다）

× クーラーをつければ、すぐに涼しくなった。
○ クーラーをつければ、すぐに涼しくなるだろう。
○ クーラーをつけたら、すぐに涼しくなった。

---

59 〜なら

接続 名詞／【動詞・イ形容詞・ナ形容詞】のふつう体
ただし、ナ形容詞現在形に「だ」はつかない

意味 ①相手が言ったことを受けて、それについて知っていることを言う・意見、希望などを言う・依頼する／After listening to other party, speaker states her knowledge, opinions, or hopes about the subject, or makes request ／对于对方谈到的事情讲自己知道的，或者提希望、讲见解、提出请求。／상대방이 한 말을 받아서, 그것에 대해 알고 있는 내용을 말하다・의견, 희망 등을 말하다・의뢰하다．

1 「すみません、キムさん、いますか」「キムさんならさっき帰りましたよ」
2 「さっき貸したはさみは？」「はさみなら、引き出しに戻しておいたよ」
3 「来月の連休に温泉へでも行こうかと思っているんですよ」
　「温泉なら××温泉が一番ですよ。ぜひ行ってみてください」
4 「ジュースを買いに、コンビニに行ってくるね」
　「あ、それならパンも買ってきて」

意味 ②（多くは相手が言ったことを受けて、）それについて意見を言う・申し出をする　時間的な順番は、あとから述べることが先になる／(Most often for listening to other party and) giving opinions or making offers concerning subject. What is listed in the second clause occurs first in the sequence. ／（大多情况下，是对于对方谈到的事情）关于那件事讲自己的见解，提出请求。从时间顺序上来看，后面谈到的事情在先／(대부분의 경우 상대방이 한 말을 받아서,) 그것에 대해 의견을 말하다・제의를 하다．시간적인 순서는, 뒤에서 말하는 것이 먼저이다．

1 「来月、京都に旅行しようと思っているんです」
　「京都へ行くなら、いい旅館を紹介しますよ」
2 「将来は外国で働きたいと思っています」
　「外国で働きたいなら、今から外国語の勉強をしておいたほうがいいですよ」
3 車を運転して帰るのなら、お酒を飲んではいけません。

60 疑問詞＋〜たら／ば＋いいですか　など

意味 わからないことを聞くとき／アドバイスを求めるときに使う／Used when asking about something not understood or when seeking advice.／询问不清楚的事情，征求别人意见的时候用／모르는 것에 대해 물어 볼 때 / 조언을 청할 때 사용한다.

1. 「キャッシュカードをなくしたときは、どこへ連絡したらいいですか」
2. 「あしたの朝は何時に来たらいいでしょうか」
3. 「きのう、リンさんに迷惑をかけてしまって……。どうしたらいいと思う？」
4. 「回数券を買いたいときは、どのボタンを押せばいいですか」
5. 「使いやすそうなバッグですね。どこへ行けば買えますか」
6. 「どうやって勉強すれば成績が上がるか、教えてください」

61 〜と／たら／ば＋いい

意味 希望、願望／Hope, wish／希望，愿望／희망、원망

1. 「お母さんの病気、早くよくなるといいですね」
2. 「あしたは運動会だそうですね。雨が降らなければいいですね」
3. 今年は奨学金がもらえるといいなあ。
4. 来年は家族で海外旅行ができたらいいなあ。

62 〜と／たら／ば＋いいです　など

意味 勧め／Suggestion／建议／권유

1. 「パソコンのことなら小林さんに聞くといいですよ。何でも知っていますから」
2. 「手続きのしかたは、電話で聞けばいいと思います。行かなくてもだいじょうぶですよ」
3. 「そんなに疲れているんだったら、帰って休んだらどう？」
4. 「困っているときは、えんりょしないで、まわりの人に相談したらいいんですよ」

63 〜ても／でも

意味 逆接の条件／Conditions for adversative conjunctions／即使〜（表示逆接条件）／역접의 조건

接続【動詞・イ形容詞・ナ形容詞】のテ形＋も／名詞＋でも

1 「今からタクシーで行けば間に合いますか」
 「いいえ、たとえタクシーで行っても、間に合わないと思いますよ」
2 「この仕事は経験がなければできませんか」
 「いいえ、経験がなくてもできます」
3 「あしたはわたしの誕生日です。いそがしくても、かならず来てくださいね」
4 「どんなにきらいでも、野菜は健康のために食べたほうがいいですよ」
5 いろいろな理由があって、勉強がしたくてもできない子どもたちがたくさんいる。
6 「林さんのおじいちゃん、いくつになってもお元気でいいですね」
7 あしたのサッカーの試合は雨でもおこないます。

64 こんな／そんな／あんな＋名詞

意味 ①例示　②軽視　③相手の言ったことを指す／① Example ② Condescension ③ Indicating what other party said／①举例，②轻视，③指对方所说的事／①예시　②경시　③상대방의 언급을 가리킨다．

1 （美容院の人に雑誌を見せて）「こんな髪型にしたいんですが」
2 「あんな人、大きらい。もう絶対会いたくない」
3 「あした、試験があるそうよ。知っていた？」「ううん、そんな話、聞いていないよ」

65 こう／そう／ああ＋動詞

意味 ①例示　②相手の言ったことを指す／① Example ② Indicating what other party said／①举例，②指对方所说的事／①예시　②상대방의 언급을 가리킨다．

1 （ダンス教室で）「見てください。こうすると、きれいに見えますよ」
2 「山田さんはああ見えても、まだ50代なんですよ」
3 「遅くなるときは、かならず電話をください」「はい、そうします」

Unit 07 56〜65　ディクテーション

56 ・このあたりでは、3月の終わりごろに＿＿＿＿＿＿＿さくらが咲きます。

・窓を＿＿＿＿＿＿＿涼しい風が入ってきた。

・うちへ＿＿＿＿＿＿、友だちから手紙が来＿＿＿＿＿＿。

57 ・「あした天気が＿＿＿＿＿＿＿、海へ行きませんか」

・冬休みに＿＿＿＿＿＿＿帰国するつもりだ。

・エアコンを＿＿＿＿＿＿＿すぐに暖かく＿＿＿＿＿＿。

・1分遅れて教室に＿＿＿＿＿＿＿、もう授業は始まっ＿＿＿＿＿＿。

58 ・8時にうちを＿＿＿＿＿＿、8時15分の電車に間に合うでしょう。

・天気が＿＿＿＿＿＿＿、ここから富士山を見ることができます。

59 ・「さっき貸したはさみは？」「＿＿＿＿＿＿、引き出しに戻しておいたよ」

・「来月、京都に旅行しようと思っているんです」
「京都へ＿＿＿＿＿＿＿、いい旅館を紹介しますよ」

60 ・「キャッシュカードをなくしたときは、どこへ連絡＿＿＿＿＿＿＿」

・「回数券を買いたいときは、どのボタンを＿＿＿＿＿＿＿」

61 ・「お母さんの病気、早くよく＿＿＿＿＿＿＿」

62 ・「パソコンのことなら小林さんに＿＿＿＿＿＿＿。何でも知っていますから」

63 ・「今からタクシーで行けば間に合いますか」「いいえ、たとえタクシーで＿＿＿＿＿＿＿、間に合わないと思いますよ」

・「あしたはわたしの誕生日です。＿＿＿＿＿＿＿、かならず来てくださいね」

64 ・「＿＿＿＿＿＿＿髪型にしたいんですが」

65 ・「見てください。＿＿＿＿＿＿＿、きれいに見えますよ」

Unit 07 56〜65　練習

I （　）にひらがなを1字ずつ書きなさい。

1. 辞書を使え（　）日本語の新聞が読めます。
2. 「あの角を曲がる（　）駅があります」
3. 「駅につい（　）（　）電話してください」
4. 「漢字が読めますか」「はい、やさしい漢字（　）（　）読めます」
5. 「タクシーで行け（　）間に合いますか」
   「いいえ、タクシーで行っ（　）（　）間に合わないと思います」
6. 今年は奨学金がもらえる（　）いいなあ。
7. 「パソコンのこと（　）（　）小林さんに聞く（　）いいですよ。何でも知っていますから」
8. あしたのサッカーの試合は雨（　）（　）おこないます。

II （　　）のことばを適当な形にして_____に書きなさい。

1. このボタンを_____とおつりが出ます。（おす）
2. 「この仕事が_____たら帰ってもいいですか」（おわる）
3. 8時の電車に_____ば、9時前に着くでしょう。（のる）
4. 「_____たら食べなくてもいいですよ」（きらい）
5. 「今度の日曜日、もし_____なら遊びに来てください」（ひま）
6. 部屋が_____と気持ちがいいです。（きれい）
7. 「この仕事は経験が_____ばできませんか」（ない）
   「いいえ、経験が_____てもできます」（ない）
8. 「あした天気が_____たら、海へ行きませんか」（いい）
9. 「_____ばエアコンをつけてもいいですよ」（さむい）
10. この学校の_____と、この図書館は利用できません。（学生ではない）
11. 日本語が_____ばこの仕事はできません。
    （じょうずではない）

Ⅲ　正しいものに○をつけなさい。

1. クーラーを（つけると　つければ）涼しくなった。
2. 「わからないことばが（あったら　あっても）辞書を見てはいけません」
3. 「夏に（なると　なったら）海へ行きませんか」
4. 「新しいカメラを（買ったら　買うなら）見せてくださいね」
5. 「カメラを（買ったら　買うなら）駅前の「○○電気店」がいいですよ」
6. うちへ（帰ったら　帰れば）母から手紙が来ていた。
7. 「アメリカへ（行くと　行けば　行くなら）英語を勉強しておいたほうがいいですよ」
8. 窓の外を（見ると　見れば　見るなら）、雨が降っていた。
9. 「値段が（高ければ　高くても）買いますか」
   → 「はい、（高ければ　高くても）、いい（ものなら　ものでも）買います」
   → 「いいえ、（高ければ　高くても）買いません」
10. 「どの電車に乗るかわからないときは、どう（すると　したら）いいの？」
    「駅員さんに（聞けば　聞くなら）いいよ」
11. 「疲れているようですね。今日はもう（帰れば　帰ったら）どうですか」
12. 「いいかばんだね。ぼくも（そう　それ　そんな）のがほしいなあ」
13. 「（こう　この　これ）漢字は、（こう　この　これ）書くときれいな字になりますよ」
14. 「日本語、お上手ですね」
    「いいえ、（そう　その　そんな）ことないですよ。まだまだです」
15. きのうの試合でひどいミスをした。（ああ　あれ　あんな）ミスはもう絶対したくない。

IV （　　　）に入るのはどれですか。いちばんいいものを一つ選びなさい。

1.「あのレストランは、いつ（　　　）こんでいます」
　　a．行っても　　　b．行くと　　　c．行ったら　　　d．行くなら

2.「早く雨が（　　　）いいですね」
　　a．やむのは　　　b．やむなら　　　c．やむと　　　d．やんだので

3.「もっと練習しないと（　　　）」
　　a．上手になりますよ　　　　　b．上手になりました
　　c．上手になりませんでした　　d．上手になりませんよ

4．病気が（　　　）練習は休みます。
　　a．なおったら　　　　　b．なおらなくても
　　c．なおらなかったら　　d．なおるために

5．わたしは目が悪いですが、（　　　）大きい字なら読めます。
　　a．めがねをかけても　　　　b．めがねをかけなくても
　　c．めがねをかけなかったら　d．めがねをかけるために

6.「部屋が明るくても寝られますか」「いいえ、（　　　）寝られません」
　　a．明るいので　　b．明るくないと　　c．暗ければ　　d．暗くないと

7.「来週の会議は何曜日がいいですか」「（　　　）いつでもいいです」
　　a．月曜日でないので　　　b．月曜日だったら
　　c．月曜日でなければ　　　d．月曜日といえば

まとめテスト2   Unit 04 〜 07   28 〜 65

I (　　) にひらがなを1字ずつ書きなさい。(1 × 25)   25

1. 母の誕生日に、兄は母（　）バラの花（　）あげました。
2. 危ない！ 機械にさわる（　）。
3. あの二人はまるで兄弟（　）よう（　）仲がいいです。
4. このあたりは交通が不便（　）ため、自転車を利用する人が多い。
5. 「あのレストランは味（　）いい（　）、値段（　）安いです」
6. きのうは最高気温が36度（　）あったそうだ。
7. 母の友だちの田中さんが弟（　）本（　）くれました。
8. 「そのシャツ、いいね。どこで買った（　）？」
9. 田中さんは歌が好き（　）ようです。よく歌っています。
10. 「きのう、どうして休んだ（　）ですか」
11. 部屋がきれい（　）と、気持ちがいいです。
12. わたしは先生（　）新しい辞書（　）いただきました。
13. この問題はやさしいから、小学生（　）（　）できるでしょう。
14. 「この本、おもしろそう。読んでみよう（　）（　）」
15. 「お肉（　）（　）（　）食べないで、野菜も食べなさい」
16. 「こんなにたくさん、食べられそう（　）ありません」
17. 「春子さん、今度の日曜日に、いっしょに映画（　）（　）見に行きませんか」
18. 「あの角を曲がる（　）駅があります」
19. 大雨（　）ため、新幹線が遅れています。
20. 「漢字が読めますか」「はい、やさしい漢字（　）（　）読めます」
21. 人のいや（　）（　）ことはしないほうがいい。
22. あしたの試合は雨（　）（　）おこないます。
23. 日本では、車は道の左側を走る（　）いうことを、日本へ来てはじめて知りました。
24. ・「タクシーで行け（　）間に合いますか」
    ・「いいえ、タクシーで行っ（　）（　）間に合わないと思います」

Ⅱ（　　）のことばを適当な形にして＿＿＿に書きなさい。(1×25)

1. 先月はお金を＿＿＿＿＿＿＿＿すぎてしまった。（つかう）
2. （応援）「もう少しだ。＿＿＿＿＿＿＿＿！」（がんばる）
3. 「出発の時間です。そろそろ＿＿＿＿＿＿＿＿ばなりません」（行く）
4. 初めて会った人に年を＿＿＿＿＿＿＿＿はいけない。（聞く）
5. わたしが帰国するとき、先生は新しい辞書を＿＿＿＿＿＿＿＿ました。（くださる）
6. ときどき苦しくて泣きたく＿＿＿＿＿＿ことがあるが、最後までがんばるつもりだ。（なる）
7. 「だれがこのコップを＿＿＿＿＿＿＿＿のですか」（わる）
8. 公園で子どもたちが＿＿＿＿＿＿＿＿遊んでいます。（たのしい＋そう）
9. 初めて会ったとき、頭の＿＿＿＿＿＿＿＿人だと思いました。（いい＋そうだ）
10. 「この袋は＿＿＿＿＿＿＿＿ので、重い物は入れないほうがいいです」
    　　　　　　　　　　　　　　　　　　　　（じょうぶではない＋そうだ）
11. 小さい子どもがおもちゃを＿＿＿＿＿＿＿＿泣いています。（ほしい＋がる）
12. このあたりは交通が＿＿＿＿＿＿＿＿ため、自転車を利用する人が多い。（ふべん）
13. ピアノを＿＿＿＿＿＿＿＿はじめてから3年になります。（ならう）
14. バスは＿＿＿＿＿＿＿＿ところだ。次のバスまで20分ある。（出る）
15. のどが痛い。かぜを＿＿＿＿＿＿＿＿ようだ。（ひく）
16. うちの子どもは＿＿＿＿＿＿＿＿ばかりいて、ぜんぜん勉強しない。（あそぶ）
17. 「あの仕事、もう終わりましたか」「いいえ、今＿＿＿＿＿＿＿＿ところです」（やる）
18. あの店は＿＿＿＿＿＿＿＿らしい。よく店員さんが雑誌を読んでいる。（ひま）
19. 「宿題です。このことばの意味を＿＿＿＿＿＿＿＿おいてください」（しらべる）
20. 「もう昼ごはんを食べましたか」「いいえ、これから食べに＿＿＿＿＿＿ところです」（行く）
21. 「あした天気が＿＿＿＿＿＿＿＿たら、海へ行きませんか」（いい）
22. 「＿＿＿＿＿＿＿＿たら食べなくてもいいですよ」（きらい）
23. 日本語が＿＿＿＿＿＿＿＿ばこの仕事はできません。（じょうずではない）
24. ・「この仕事は経験が＿＿＿＿＿＿＿＿ばできませんか」（ない）
    ・「いいえ、経験が＿＿＿＿＿＿＿＿てもできます」（ない）

Ⅲ（　　）に入るのはどれですか。いちばんいいものを一つ選びなさい。

(2×25)　50

1．先生から、キムさんが入院した（　　）聞きました。
　　a．ので　　　　　b．のが　　　　　c．かを　　　　　d．ことを

2．きのうテニスを（　　）腕が痛いです。
　　a．してみて　　　　　　　　　　b．しておいて
　　c．しすぎて　　　　　　　　　　d．したことがあって

3．このおかしは、兄の上司が兄に（　　）ものです。
　　a．さしあげた　　b．いただいた　　c．くださった　　d．やった

4．「この薬はかならず飲まなければなりませんか」「いいえ、（　　）」
　　a．痛いときだけでかまいません　　b．いつでも飲んでいいです
　　c．飲んだほうがいいです　　　　　d．飲まなければなりません

5．「重そうですね。（　　）か」
　　a．持ちません　　b．持ちましょう　　c．持ちます　　d．持ってもいいです

6．わたしのアパートは駅から近くて（　　）、家賃も安いんです。
　　a．べんりから　　b．べんりし　　c．べんりだから　　d．べんりだし

7．あの川は海の（　　）広いです。
　　a．ような　　　　b．ように　　　　c．そうな　　　　d．そうに

8．「この市には、英語で相談できるところがありますか」
　　「よく知りませんが、市役所に電話して聞いて（　　）」
　　a．みたらどうですか　　　　　　　b．みるのがいいんですよ
　　c．みるならいいでしょう　　　　　d．みるとどうでしょうか

9．「今、うちには犬が5ひきいるんです」「えっ、5ひき（　　）！」
　　a．でも　　　　　b．だけ　　　　　c．も　　　　　　d．しか

10．リンさんが食べているおかしがおいしそうだったので、わたしも一つ（　　）。
　　a．あげた　　　　b．やった　　　　c．もらった　　　d．くれた

11．「すみません、そのコート、ちょっと着て（　　）いいですか」
　　a．あっても　　　b．みても　　　　c．しまっても　　d．おいても

12．「あの店では、店員さんがよく雑誌を読んでいる。ひま（　　）」
　　a．ようだ　　　　b．なそうだ　　　c．ことがある　　d．らしい

13．小さな子どもがおもちゃを（　　）泣いています。
　　a．ほしくて　　　b．ほしがって　　c．ほしいがって　d．ほしくがって

14. 「いいくつだね。ぼくも（　　）のがほしいなあ」
    a. それ　　　　b. そう　　　　c. そこ　　　　d. そんな
15. 「夏休みにいっしょに旅行に行きませんか」
    「すみません、夏休みは帰国するつもり（　　）」
    a. ので　　　　b. からです　　　c. なんです　　　d. なんですから
16. 「オウさん、このごろ（　　）。どうしたのですか」
    「そうですか。別に、何もありませんけど」
    a. やせたそうですね　　　　　　b. やせたようですね
    c. やせそうですね　　　　　　　d. やせたらしいですね
17. 「パーティーに行きますか」「いそがしいから（　　）」
    a. 行かないことがあります　　　b. 行ったことがありません
    c. 行けないかもしれません　　　d. 行きたがっていません
18. 「早く雨が（　　）いいですね」
    a. やむのは　　　b. やむなら　　　c. やんだが　　　d. やむと
19. 「部屋が明るくても寝られますか」「いいえ、（　　）寝られません」
    a. 明るくないと　b. 明るいので　　c. 暗いと　　　　d. 暗くないと
20. 「アメリカへ（　　）、英語を勉強しておいたほうがいいですよ」
    a. 行くなら　　　b. 行くと　　　　c. 行けば　　　　d. 行ったら
21. あのレストランは、いつ（　　）こんでいます。
    a. 行ったら　　　b. 行けば　　　　c. 行っても　　　d. 行くと
22. 「来週の会議は何曜日がいいですか」「（　　）いつでもいいです」
    a. 月曜日だったら　　　　　　　b. 月曜日でないので
    c. 月曜日でなければ　　　　　　d. 月曜日といえば
23. 運動会が中止になったと聞いて、弟は（　　）。
    a. とてもざんねんでした　　　　b. ざんねんがっていました
    c. ざんねんだそうでした　　　　d. ざんねんようでした
24. 「値段が高くても買いますか」「ええ、（　　）買います」
    a. 高ければいいものでも　　　　b. 高ければいいものなら
    c. 高くてもいいものでも　　　　d. 高くてもいいものなら
25. 「もっと練習しないと（　　）」
    a. じょうずになりますよ　　　　b. じょうずになりました
    c. じょうずになりませんでした　d. じょうずになりませんよ

Unit 08 66〜72

レベル ★★★

66 〜てあげる／もらう／くれる

意味 あげる／もらう／くれるの内容が、相手／自分の利益となる行為であるときに使う／Used when the action is done for the benefit of the other party or oneself／あげる／もらう／くれる的内容是对对方或自己有益的事情／あげる／もらう／くれる의 내용이, 상대방／자신에게 이익이 되는 행위인 경우에 쓴다.

接続 動詞のテ形

①〜に〜てあげる

1 田中さんはチンさんに、漢字の読み方を教えてあげました。
2 テイさんはリンさんにかさを貸してあげました。
3 来週の月曜日は母の誕生日です。わたしは（母に）料理を作ってあげようと思います。父は（母に）新しい電子レンジを買ってあげるそうです。

＊行為の対象が相手の持ち物や体の一部であるとき →○○さんの〜を〜てあげる／When object of action belongs to the other party or is part of his body → ○○さんの〜を〜てあげる／行为的对象是对方的所属物或身体的一部分时→○○さんの〜を〜てあげる／행위의 대상이 상대방의 소유물이나 신체의 일부분인 경우 → ○○さんの〜を〜てあげる

4 わたしは友だちの荷物を持ってあげました。
5 キムさんはテイさんの仕事を手伝ってあげた。
6 母はけがをして両手が使えないので、わたしが（母の）髪を洗ってあげた。

＊行為の対象が「人」であるとき →○○さんを〜てあげる／When object of action is a person → ○○さんを〜てあげる／行为的对象是人的时候→○○さんを〜てあげる／행위의 대상이「사람」인 경우 →○○さんを〜てあげる

7 わたしは友だちを駅まで迎えに行ってあげました。
8 小林さんはアリさんをホテルに案内してあげた。

注意 目上の人や親しくない相手に対して「〜てあげる」と言うことはできない。／Can't use 「〜てあげる」 toward social superiors or people with whom you are not on close terms.／对长辈、上司以及不太熟悉的人不能用"〜てあげる"／윗사람이나 친하지 않은 사람을 대할 때「〜てあげる」라고 말할 수 없다.

× 「ドアを開けてあげましょうか」→「ドアを開けましょうか」

② ～に～てもらう

1 わたしは今日さいふを忘れたので、リンさんに1,000円貸してもらった。
2 ジョンさんはいつも、日本人の友だちに作文を直してもらうそうです。
3 きのう、高橋さんに家まで送ってもらいました。
4 「きれいな指輪ですね。だれに買ってもらったのですか」
5 子犬がたくさん生まれたので、友人たちにもらってもらった。

③ ～が（／は）わたし（の家族）に（の／を）～てくれる

1 さいふを忘れて困っていたら、リンさんが（わたしに）1,000円貸してくれた。
2 友だちが（わたしの）荷物を部屋まではこんでくれた。
3 おまわりさんが、道で泣いていた弟を家までつれてきてくれた。
4 学生が質問すると、先生はいつもていねいに答えてくれる。

67　～てさしあげる／やる／いただく／くださる

意味 相手が目上のとき／When other party is a social superior／对方是长辈、上司的时候／상대방이 윗사람인 경우

～てあげる→～てさしあげる　～てもらう→～ていただく

～てくれる→～てくださる

相手が目下・動物などのとき／When other party is socially a junior or an animal／对方是比自己地位低的人或动物的时候／상대방이 아랫사람이거나 동물인 경우

～てあげる→～てやる

接続 動詞のテ形

1 先生にお茶をいれてさしあげました。
2 「先輩に手伝っていただいたので、いいレポートが書けました」
3 お医者様はわたしの質問にていねいに答えてくださいました。
4 「先生に教えていただいたことは、絶対忘れません」
5 「皆さま、わたしのために、こんなにすばらしいパーティーを開いてくださって、どうもありがとうございました」
6 今日、久しぶりに犬を洗ってやった。
7 「お父さん、ぼく、サッカーボールがほしいなあ」
　「じゃ、今度の誕生日に買ってやるよ」

68 ～ことにする

意味 自分の意志・考えで決めた／ Decide ~ based on your own volition or ideas ／通过自己的意志、意见来决定某事／자신의 의지, 생각으로 결정하다

接続 動詞の【辞書形・ナイ形】

1 ５キロも太ったため、毎日駅まで歩くことにしました。
2 新聞が読めるようになりたいので、毎日漢字を三つ覚えることにした。
3 「今日はもう遅いので、タクシーで帰ることにします」
4 子どもが生まれたので、たばこは吸わないことにしました。

69 ～ことになる

意味 他の人の意志・状況から決まった／相談して決めた／ Decided based on someone else's volition or situation/decided based on discussion ／由他人的意志或客观情况而决定的事情／商量之后决定的事情／타인의 의지・상황에 의해서 결정되다 / 의논해서 결정하다

接続 動詞の【辞書形・ナイ形】

1 来月出張でアメリカへ行くことになりました。
2 次の同窓会は東京で開くことになりました。
3 奨学金がもらえることになって、うれしいです。
4 会議室はほかのグループが使うので、わたしたちは使えないことになった。

注意 自分の意志で決めた場合でも、他の人に報告するときは「～ことになる」を使うことが多い。／ Even in cases in which speaker himself decides ~, when reporting to others, often「～ことになる」is used ／即使是自己决定的事情，对别人说的时候，也常用"～ことになる"／자신의 의지로 결정한 경우에도, 다른 사람에게 보고할 때에는「～ことになる」를 사용하는 경우가 많다

・「わたしたち、来月結婚することになりました」

70 ～(よ)うとする

接続 動詞の意志形

意味 ①～しようと思って努力したが…／しているが…／ Tried hard to ~ thinking would do ~/am doing, but ／想努力做～但是…／ 正在努力做着～但是…／ ～하려고 노력했지만 … / 하고 있지만 …

1 目的地まで行こうとしたのですが、途中で迷ってしまいました。
2 さっきから何度もファックスを送ろうとしているのですが、送れません。
3 最後まで走ろうとしたが、できなかった。

意味 ②＜～ようとしたとき＞ 何かを始める直前／ Just before starting something (when just about to ~)／刚要开始干～，就…／［～하려고 할 때］뭔가를 시작하기 직전

1 出かけようとしたときに、雨が降りはじめた。
2 電車に乗ろうとしたときに、ドアが閉まってしまった。

意味 ③＜～(よ)うとしない＞ ～をしようという意思が全くない様子／ Seems to have absolutely no volition to ~ ／完全没有要做某事的样子／～하려고 하는 의사가 전혀 없는 모습

1 彼は自分が悪いことをしたのに、あやまろうとしない。
2 体に悪いからやめてと言っても、夫はたばこをやめようとしない。
3 だれも反対意見を言おうとしないので、わたしが言った。
4 ぐあいの悪そうな人が立っていたのに、だれも席を譲ろうとはしなかった。

71 ～ようにする

意味 努力して～する／ Try hard and do ~ ／努力做到～／노력해서 ~ 하다

接続 動詞の【辞書形・ナイ形】

1 「これからは遅刻しないようにします」
2 暑いときは、水をたくさん飲むようにしましょう。
3 習ったことばはすぐに使ってみるようにしています。

72 〜てくる/いく

接続 動詞のテ形

意味 ①ものがこちらに向かって移動している／こちらから向こうへ移動している／特別なできごとの日時が近づいている／ Something is moving toward the speaker/something is moving away from the speaker/the time for some special event is approaching ／事物朝着自己这边过来 / 事物从自己这边过去 / 某一个特别的时刻临近／어떠한 것이 이쪽을 향하여 이동해 오다 / 이쪽에서 그 쪽으로 이동하다 / 특별한 사건이 벌어질 날이 가까워지다

1 犬がわたしのほうへ歩いてきた。
2 鳥が東のほうへ飛んでいった。
3 子どもは「行ってきます」と言って、元気よくうちを出ていった。
4 国へ帰る日が近づいてきた。
5 国の母が誕生日にセーターを送ってきました。
6 きのう久しぶりに、友だちから電話がかかってきました。

意味 ②（途中で）〜してから行く／来る／帰る／ (on the way) will go/come/return after doing 〜 ／在途中做完〜后去 / 来 / 回／（도중에）〜 하고 (한 후에) 가다 / 오다 / 돌아가다

1 今から友だちのうちへ行きます。途中で飲み物を買っていくつもりです。
2 友だちがうちへ来ます。飲み物がないので、買ってきてもらおうと思います。
3 病気で寝ているわたしのために、リンさんが薬を買ってきてくれた。
4 今日はスーパーで買い物をして帰ろうと思っています。
5 （会社にいる夫が妻に電話で）「今日は食べて帰るから、晩ごはんはいらないよ」

注意 「〜てくる」は、今いる場所に戻るという意味になることもある。／「〜てくる」can mean to return to the present site ／"〜てくる"有时表示回到现在所在的地点／「〜てくる」는 , 지금 있는 장소로 되돌아간다는 뜻이 될 때도 있다 .

1 （家を出るときに）「ちょっと散歩に行ってくる」
2 （駅などで）「お手洗いに行ってきますので、ここで待っていてください」

意味 ③過去から現在までの変化／現在から未来への変化／ Changes that have been taking place/changes that are and will be occurring / 从过去到现在的变化 / 从现在到将来的变化／과거에서 현재까지의 변화 / 현재에서 미래로의 변화

1 日本に住んでいる外国人が多くなってきました。これからも増えていくでしょう。
2 暖かくなってきた。もうすぐ春だ。
3 最近、漢字の勉強がおもしろくなってきました。
4 子どものころからピアノを習っています。これからも続けていくつもりです。

Unit 08 66～72 ディクテーション

66
- 田中さんはチンさん_____、漢字の読み方を_____。
- わたしは友だち_____荷物_____。
- わたしは友だち_____駅まで迎えに_____。
- わたしは今日さいふを忘れたので、リンさん_____1,000円_____。
- さいふを忘れて困っていたら、リンさん_____（わたし_____）1,000円_____。

67
- 先生_____お茶を_____。
- 「先輩_____ので、いいレポートが書けました」
- 「皆さま、わたしのために、こんなにすばらしいパーティーを_____、どうもありがとうございました」
- 「お父さん、ぼく、サッカーボールがほしいなあ」
「じゃ、今度の誕生日に_____よ」

68
- 5キロも太ったため、毎日駅まで_____。
- 子どもが生まれたので、たばこは_____。

69
- 来月出張でアメリカへ_____。

70
- さっきから何度もファックスを_____のですが、送れません。
- _____ときに、雨が降りはじめた。
- 彼は自分が悪いことをしたのに、_____。

71
- 習ったことばはすぐに使ってみる_____。

72
- 犬がわたしのほうへ_____。
- 子どもは「行ってきます」と言って、元気よくうちを_____。
- 今から友だちのうちへ行きます。途中で飲み物を_____つもりです。
- 日本に住んでいる外国人が多く_____。これからも_____でしょう。

Unit 08　66〜72　練習

I （　）にひらがなを1字ずつ書きなさい。

1. 田中さんはチンさん（　）漢字の読み方（　）教えてあげました。
2. 小林さんはアリさん（　）ホテル（　）案内してあげました。
3. テイさんはキムさん（　）荷物（　）持ってあげました。
4. わたしはリンさん（　）英語（　）教えてもらいました。
5. 友だちがわたし（　）かばん（　）運んでくれました。
6. 「先生（　）教えていただいたことは忘れません」
7. 先生がわたし（　）作文（　）直してくださいました。
8. わたしは友だち（　）駅（　）（　）むかえ（　）行ってあげました。
9. 健康のため、毎日駅まで歩くこと（　）した。
10. 出かけよう（　）したとき、雨が降りはじめた。
11. これからは遅刻しないよう（　）します。
12. 「わたしたち、来月結婚すること（　）なりました」
13. わたしが何回「やめて」とたのんでも、夫はたばこをやめよう（　）しない。

II （　）のことばを適当な形にして＿＿＿に書きなさい。

1. 来月出張でアメリカへ＿＿＿＿＿＿ことになりました。（行く）
2. ＿＿＿＿＿＿としたときに電話がかかってきた。（出かける）
3. 今日はスーパーで買い物を＿＿＿＿＿＿帰ります。（する）
4. 習ったことばはすぐに＿＿＿＿＿＿ようにしています。（使ってみる）
5. 最後まで＿＿＿＿＿＿としたのですが、走れませんでした。（走る）
6. 子どもが生まれたので、たばこは＿＿＿＿＿＿ことにしました。（すう）
7. 日本に住む外国人は、これからも＿＿＿＿＿＿いくでしょう。（ふえる）
8. 「先生に＿＿＿＿＿＿ことは、ぜったい忘れません」（教える＋いただく）
9. そのときの会議では、だれも意見を＿＿＿＿＿＿としなかった。（言う）

III 正しいものに○をつけなさい。

1. 姉は恋人にネックレスを買って（もらった　くれた）そうです。
2. 田中さんはパソコンの使い方を知らないので、アリさんに教えて（あげ　もらい　くれ）ました。
3. かさがなくて困っていたら、キムさんが貸して（あげ　もらい　くれ）ました。
4. わたしは兄のかばんを持って（あげ　もらい　くれ）ました。
5. 高橋さんはわたしの妹にアイスクリームを買って（あげ　もらい　くれ）ました。
6. 父はきのう弟を動物園へつれて行って（くれ　やり）ました。
7. 日本へ来てからずっと、社長には親切にして（いただき　ください）ました。
8. 「この写真、いいですね。だれにとって（あげた　もらった　くれた）のですか」
9. わたしは病気で寝ているオウさんのために、買い物に行って（あげた　もらった　くれた）。
10. 「今度の日曜日、引っ越しだそうですね。だれか、手伝って（あげる　もらう　くれる）人はいるのですか」
11. 熱が高かったので、友だちに頼んで、薬を買ってきて（あげた　もらった　くれた）。
12. 先生はわたしたちをいろいろなところへ連れて行って(さしあげ　いただき　ください)ました。
13. 日本へ来てから3カ月になりました。日本の生活にもだいぶ慣れて（き　いき）ました。
14. 「おみやげはどうしましょうか」
    「そうですね、途中でケーキでも買って（き　いき）ましょう」
15. これからは、毎日30分、漢字の勉強をする（こと　もの　ため）にします。
16. 母が急に外出したので、今日の料理はわたしが作る（ことに　ように　ために）なった。

IV （　　）に入るものはどれですか。いちばんいいものを一つ選びなさい。

1. 試験に合格して、イギリスに留学（　　　）。
   a．するようになりました　　　b．できるようになりました
   c．することになりました　　　d．できることにしました
2. （　　　）したのですが、熱が高くて起きられませんでした。
   a．起きるつもりに　　　b．起きようと
   c．起きることに　　　　d．起きなければと

3．「キムさん、また宿題を忘れたのですか」
　「すみません、これからは絶対忘れない（　　　）」

　　a．ようにします　　　　　　　　b．ことにします

　　c．ようになります　　　　　　　d．ことになります

4．「きれいなネックレスですね」
　「ありがとう、二十歳の誕生日に父がプレゼント（　　　）んです」

　　a．してあげた　　　　　　　　　b．してくれた

　　c．してもらった　　　　　　　　d．していただいた

5．「田中さん、あさってから大阪に出張だそうですね」
　「そうなんですよ。部長の命令で急に（　　　）んです」

　　a．行けるようになった　　　　　b．行くことにした

　　c．行ったことがある　　　　　　d．行くことになった

6．「日本へ来たときは、ぜんぜん日本語ができなかったんです」
　「じゃ、空港までどなたかにむかえに来て（　　　）」

　　a．さしあげましょうか　　　　　b．くださいましたか

　　c．もらったんですか　　　　　　d．もらったらどうですか

Unit 09 73〜82

レベル ★ ★ ★

73 受身

受身形の作り方

動詞Ⅰ　あ段＋れる　　書く→書かれる　　こわす→こわされる
　　　　　　　　　　　立つ→立たれる　　死ぬ→死なれる
　　　　　　　　　　　呼ぶ→呼ばれる　　かむ→かまれる
　　　　　　　　　　　しかる→しかられる　さそう→さそわれる

動詞Ⅱ　る→られる　　見る→見られる　　ほめる→ほめられる

動詞Ⅲ　　　　　　　　する→される　　　来る→来られる

意味 ①行為を受けた人を主語にするときに使う／Used when person who is recipient of action is subject／把接受动作的人当主语时使用／행위를 받는 사람을 주어로 할 때 사용한다.

　お母さんは　子どもを　ほめました。→子どもは　お母さんに　ほめられました

1　アリさんはキムさんに映画にさそわれました。
2　キムさんはアリさんを映画にさそいましたが、断られました。
3　道を歩いているとき、知らない人に道を聞かれた。
4　わたしの国のことを質問されたが、答えられなかった。

＊行為を受けるものが体の一部や持ち物のとき／When what is received is a part of the body or a belonging／接受动作的是身体的一部分或所属物时候／행위를 받는 대상이 신체의 일부분이나 소유물인 경우

　犬が　わたしの手を　かんだ。→わたしは　犬に　手を　かまれた。

5　わたしは弟にカメラをこわされた。
6　テイさんは電車の中で、となりの人に足をふまれて、とても痛かったそうです。
7　母に日記を読まれてしまった。
8　駅で（だれかに）かばんを盗まれた。

意味 ②だれかの行為・何かの事態によって迷惑を受けたときに使う。「困った」という気持ちが強く入る／Used when someone's action or a certain situation inconveniences the speaker. Emphasizes distress caused.／由于某人的行为，或者是某一状况的原因，让说话人感觉受到损害。"太为难了"的语感较强／누군가의 행위·어떠한 사태로 인해 피해를 받았을 때 사용한다. 「困った (곤란하다 , 싫다)」라는 느낌이 강하게 들어 있다.

1　テストの前の日に友だちに遊びに来られて、勉強できませんでした。
2　雨に降られてぬれてしまった。
3　アルバイトの人に急に休まれて、店長は困っている。

意味 ③行為をする人が重要ではないとき、行為をする人が大勢であるときに使う。客観的事実を言う文になる／Used when person doing action is unimportant or when many people are involved in the action. Becomes phrase for stating objective facts.／动作不是某个特定个人完成，或者做动作的人并不重要时使用。用于叙述客观的事实。／행위자가 중요하지 않은 경우，행위자가 대중 (많은 사람，혹은 불특정자) 인 경우에 사용한다．객관적인 사실을 말하는 문장이 된다．

1 この歌は世界中で歌われている。
2 この本は多くの若者に読まれている。
3 日本では、秋はスポーツの季節といわれています。
4 卒業式は3月10日に行われます。
5 「この建物はいつごろ建てられたのですか」
6 「次のオリンピックはどこで開かれるのですか」

注意 ①行為者を「〜によって」で表すことがある。／Sometimes the agent of the action is indicated by「〜によって」／有时用"〜によって"来表示做动作的人／행위자를「〜によって」로 표현하는 경우가 있다．

・この絵はピカソによってかかれた。

注意 ②行為に感謝しているときは、受身ではなく、「〜てもらう」を使う。／When thankful for the action, use「〜てもらう」rather than the passive／对动作表示感谢时，不用"受身"，用"〜てもらう"／행위에 대한 감사를 표현할 때에는，受身 (피동표현) 이 아닌「〜てもらう」를 쓴다．

1 わたしは英語が読めないので、英語の手紙をリンさんに訳してもらった。
2 暑かったので、窓のそばの人にたのんで、窓を開けてもらった。

74 使役

使役形の作り方

動詞Ⅰ	あ段＋せる	書く→書かせる	急ぐ→急がせる
		話す→話させる	持つ→持たせる
		読む→読ませる	作る→作らせる
		笑う→笑わせる	
動詞Ⅱ	る→させる	食べる→食べさせる	考える→考えさせる
動詞Ⅲ		する→させる	来る→来させる

意味 ①ある人が指示して、他の人がその行為をする／One person gives directions and another follows them.／某个人让其他人做某个动作／다른 사람의 지시로 그 행위를 하다

・動詞が自動詞のとき

1 コーチは選手たちを走らせた。
2 リンさんはチンさんを1時間も待たせました。
3 吉田先生はいつも学生を立たせて答えさせる。

・動詞が他動詞のとき

1 リンさんはチンさんに荷物を持たせました。
2 あの先生は毎日作文を書かせます。
3 兄はいつもわたしに料理を作らせて、自分は何もしない。

(注意) 後ろに「を」があるときは、自動詞であっても、行為者を「に」で表す。／When an「を」follows, indicates the agent of the action with「に」even if intransitive verb ／后面有"を"的时候，即使是自动词，做动作的人也用"に"表示／뒤에「を」가 올 때에는, 자동사인 경우에도 행위자를「に」로 표현한다.

・コーチは選手たちにグラウンドを走らせた。

(意味) ②だれかの行為によって、他の人にある感情などを持たせる／Makes someone feel a certain way because of another's actions ／由于某人的行为，让他人抱有某种感情。句子的主语是某人，抱有某种感情的人用"に"或"を"表示。／누군가의 행위에 의해, 다른 사람에게 어떠한 감정 등을 갖게 하다

1 オウさんはいつもおもしろいことを言って、ほかの人を笑わせている。
2 姉は去年病気をして、両親を心配させました。
3 山田さんは難しい試験に合格して、みんなをおどろかせた。

---

75 使役受身

使役受身形の作り方

動詞Ⅰ　あ段＋される　　書く→書かされる　立つ→立たされる

　　　　　　　　　　　読む→読まされる　帰る→帰らされる

　　　　　　　　　　　言う→言わされる

　　　　　＊辞書形が「す」で終わる場合

　　　　　話す→×話さされる　○話させられる

　　　　　出す→×出さされる　○出させられる

動詞Ⅱ　る→させられる　　食べる→食べさせられる

　　　　　　　　　　　　考える→考えさせられる

動詞Ⅲ　　　　　　　　　する→させられる　来る→来させられる

意味 ①自分の意志ではなく、人に強制されてしかたなくする／Do something because forced to, and not from own volition／不是通过自己的意志，而是被别人强制做某事／자신의 의지가 아닌, 타인의 강요에 의해서 할 수 없이 하는 경우

1. 子どものころ、母にきらいな野菜を食べさせられた。
2. 上手に発音できるようになるまで、先生に何度も練習させられた。
3. 学生時代、本を読むのは好きだったが、感想文を書かされるのはいやだった。
4. お酒があまり飲めないのに、先輩に飲まされてしまった。
5. バスが予定の時刻に来なかったため、バス停で20分も待たされました。

意味 ②だれかの行為によって、他の人がある感情などを持つ／Someone feels a certain way because of another's actions／由于某人的行为而抱有某种感情。抱有某种感情的人是句子的主语／누군가의 행위에 의해서, 다른 사람이 어떠한 감정 등을 갖다

1. 子どものころ、よく姉に泣かされました。
2. この子はいい子で、心配させられることはほとんどなかった。
* この本を読んで、いろいろなことを考えさせられた。
   （←この本はわたしにいろいろなことを考えさせた。）

76 〜（さ）せてください

意味 許可を求める／Seeking permission／请求别人让自己做某事／허가를 청하다
接続 使役形のテ形＋ください

1. 「疲れたので、少し休ませてください」
2. 「そのゲーム、おもしろそうね。わたしにもやらせて」
3. 「いつもごちそうになっているので、たまにはわたしに払わせてください」

77 〜まで

意味 〜以前は…の状態が続く／行為を続ける／State of...continues until ; continue action／在～以前是…的状态, 在～以前持续某种行为／～이전에는・・・의 상태가 계속됨 / 행위가 지속됨
接続 名詞／動詞の辞書形

1. 毎日授業が終わったあと、7時まで図書館で勉強しています。
2. 小学校までは大阪にいましたが、中学からは東京に住んでいます。
3. 「上手に言えるようになるまで、何回も声に出して練習してください」
4. 「電車が来るまで少し時間があるから、ジュースを買ってくるね」
5. 日本へ来るまでは不安でいっぱいだったが、来てからは友だちもできて、毎日が楽しい。

78　〜までに

意味 〜以前に…してしまう（期限）／Finishes or ends up doing by ~ ／在〜之前做完／〜 전 까지……해 버리다

接続 名詞／動詞の辞書形

1　「あしたは8時半までに来てください」
2　週末は遊びたいので、この仕事は金曜日までにやってしまおうと思います。
3　レポートの締め切りは10日です。それまでに書かなければなりません。
4　映画が始まるまでに、映画館に着けるかどうか心配です。
5　死ぬまでに一度月に行きたいなあ。無理かなあ。

79　〜あいだ（は）

意味 ある状態や動作が続いている期間、…している／Doing...during period in which certain state or action continues ／某个状态或动作持续期间一直做某事／어떤 상태나 동작이 계속되는 기간、……하고 있다

接続 名詞＋の／動詞の【辞書形・ナイ形・ている　など】／イ形容詞の辞書形／ナ形容詞＿な

1　わたしは夏休みのあいだ、毎日テニスをしていました。
2　父はいつもわたしに、学生のあいだはアルバイトをしないで勉強をしろと言う。
3　「お母さんが買い物しているあいだ、ここにいてね」「うん、わかった」
4　日本語がわからないあいだは、電車に乗るのも不安だった。
5　子どもが小さいあいだは、どうしても子ども中心の生活になってしまう。

80　〜あいだに

意味 ある状態や動作が続いている期間に、…してしまう／Finishes or ends up doing...during period in which certain state or action continues ／某个状态或动作持续期间做完某事／어떤 상태나 동작이 계속되는 기간에、……해 버리다

接続 名詞＋の／動詞の【辞書形・ナイ形・ている　など】／イ形容詞の辞書形／ナ形容詞＿な

1　わたしは夏休みのあいだに、本を20冊読みました。
2　父はいつもわたしに、学生のあいだにいろいろな経験をしろと言う。
3　「日本にいるあいだに、どんなことをしてみたいですか」
4　両親が元気なあいだに、いっしょに旅行したいと思う。
5　昼前の、人が少ないあいだに、食事をしに行った。

81 ～ように(と)言う／伝える／注意する　など

意味 引用／ Quotations ／引用／인용

母はわたしに「もっと勉強しなさい」と言いました。
→母はわたしに、もっと勉強するように言いました。
父は子どもたちに「毎日ゲームばかりしてはいけません」と注意しました。
→父は子どもたちに、毎日ゲームばかりしないように注意しました。

接続 動詞の【辞書形・ナイ形】

1　先生は学生に、あしたは9時までに来るように言いました。
2　わたしは医者に、今日はおふろに入らないようにと言われました。
3　母からのメールには、もっと勉強をするようにと書いてありました。
4　「田中さんが戻ったら、電話をくれるように伝えてください」

82 ～さ

意味 イ形容詞・ナ形容詞を名詞にする　尺度・程度を表す／ Converting イ -adjectives and ナ -adjectives to nominals. Expresses standards and levels ／把イ形容词和ナ形容词变成名词。表示程度／이형용사와 ナ형용사를 명사화시킨다. 척도・정도를 표현한다.

接続 【イ形容詞・ナ形容詞】__φ＋さ　　＊いい　→よさ

1　今年の暑さは去年ほどではありません。
2　「この部屋の広さはどのくらいありますか」
3　日曜日のデパートは人が多くて、お祭りのようなにぎやかさだった。
4　いなかには都会にないよさがあります。

Unit 09　73〜82　ディクテーション

73 ・アリさん＿＿＿キムさん＿＿＿映画に＿＿＿＿＿＿＿＿＿＿。

・わたしの国のことを＿＿＿＿＿＿＿＿＿＿＿＿＿が、答えられなかった。

・わたし＿＿＿弟＿＿＿カメラ＿＿＿＿＿＿＿＿＿＿＿。

・雨＿＿＿＿＿＿＿＿＿＿ぬれてしまった。

・この歌は世界中で＿＿＿＿＿＿＿＿＿＿＿＿＿。

・卒業式は3月10日に＿＿＿＿＿＿＿＿＿＿＿＿＿。

74 ・コーチは選手たち＿＿＿＿＿＿＿＿＿＿＿。

・リンさんはチンさん＿＿＿荷物＿＿＿＿＿＿＿＿＿＿＿。

・オウさんはいつもおもしろいことを言って、ほかの人＿＿＿＿＿＿＿＿＿＿＿。

75 ・子どものころ、母＿＿＿きらいな野菜を＿＿＿＿＿＿＿＿＿＿＿＿＿＿＿。

・子どものころ、よく姉＿＿＿＿＿＿＿＿＿＿＿＿＿＿。

76 ・「疲れたので、少し＿＿＿＿＿＿＿＿＿＿＿＿＿」

77 ・毎日授業が終わったあと、＿＿＿＿＿＿図書館で＿＿＿＿＿＿＿＿＿＿。

78 ・「あしたは＿＿＿＿＿＿＿＿＿＿来てください」

・映画が＿＿＿＿＿＿＿＿＿＿＿＿、映画館に着けるかどうか心配です。

79 ・わたしは夏休み＿＿＿＿＿＿、毎日テニスを＿＿＿＿＿＿＿＿。

80 ・わたしは夏休み＿＿＿＿＿＿、本を20冊＿＿＿＿＿＿＿＿。

81 ・「田中さんが戻ったら、電話をくれる＿＿＿＿＿＿＿＿＿＿＿＿＿＿＿＿＿＿＿」

82 ・今年の＿＿＿＿＿＿＿＿は去年ほどではありません。

Unit 09　73〜82　練　習

I （　）にひらがなを1字ずつ書きなさい。

1．アリさんはキムさん（　）映画にさそわれました。
2．コーチは選手たち（　）走らせた。
3．リンさんはチンさん（　）にもつ（　）持たせました。
4．雨（　）降られてぬれてしまった。
5．子どものころ、母（　）きらいな野菜（　）食べさせられた。
6．「そのゲーム、おもしろそうね。わたし（　）もやらせて」
7．先生は学生（　）、あしたは9時までに来るよう（　）言いました。
8．わたしは弟（　）カメラ（　）こわされた。
9．「この部屋の広（　）はどのくらいですか」
10．山田さんは難しい試験に合格して、みんな（　）おどろかせた。
11．この本は多くの若者（　）読まれている。
12．わたしは山田さんを1時間待ちました。
　　＝わたしは山田さん（　）1時間待たされました。
　　＝山田さんはわたし（　）1時間待たせました。

II 受身形、使役形、使役受身形を書きなさい。

辞書形	受身形	使役形	使役受身形
する			
食べる			
書く			
立つ			
かんがえる			
話す			
来る			

Ⅲ （　　）のことばを適当な形にして_____に書きなさい。

1．この本は多くの若者に_____いる。（読む）
2．吉田先生はいつも学生を_____て_____る。（立つ／こたえる）
3．卒業式は3月10日に_____ます。（おこなう）
4．子どものころ、母にきらいな野菜を_____た。（食べる）
5．キムさんはアリさんを映画にさそいましたが、_____ました。（ことわる）
6．姉は去年病気をして、両親を心配_____ました。（する）
7．テイさんは電車の中でとなりの人に足を_____そうです。（ふむ）
8．先生に何度も練習_____ました。（する）
9．わたしの国のことを質問_____が、答えられなかった。（する）
10．あした食べようと思っていたケーキを、妹に_____しまいました。（食べる）
11．「おもしろそうな本ですね。わたしにも_____ください」（読む）
12．映画が_____までに、映画館に着けるかどうか心配です。（はじまる）
13．母はわたしに、もっと勉強_____ように言いました。（する）
14．今年の_____さは去年ほどではありません。（あつい）
15．あの人の頭の_____さは、みんな知っています。（いい）

Ⅳ 正しいものに○をつけなさい。

1．パーティーのとき、友だちに頼んでピアノを（ひかれました　ひいてもらいました）。
2．夜遅くピアノを（ひかれて　ひいてもらって）寝られませんでした。
3．アリさんはお母さんに日記を（見られて　見てもらって）おこっています。
4．わたしはレポートを出す前に、いつも友だちに（見られて　見てもらって）います。
5．うちの前に車を（止められて　止めてもらって）困っています。
6．おなかがいっぱいで食べられなかったので、友だちに（食べられました　食べてもらいました）。

7. 病気で買い物に行けないので、友だちに薬を（買って来させました　買ってきてもらいました）。
8. 赤ちゃんに（泣かれて　泣かせて　泣かされて）、お父さんは困っているようです。
9. 「疲れました。ちょっと（休ませて　休まさせて）ください」
10. 「ごめんなさい、（待たれて　待たせて　待たされて）しまって」
11. 「すみません、コピーを（されて　させて　させられて）ください」
12. わたしはキムさんに歌を歌わされました。→歌を歌ったのは（わたし　キムさん）です。
13. わたしは弟にかばんを持たされました。→かばんを持ったのは（わたし　弟）です。
14. 山田さんはテイさんに窓を開けてもらいました。
    →窓を開けたのは（山田さん　テイさん）です。
15. 大学を卒業する（まで　までに）車の運転ができるようになりたい。
16. 「日本語能力試験（まで　までに）あと３カ月だ。がんばろう！」
17. 日本へ来る（まで　までに）一度も雪を見たことがなかった。
18. 道がこんでいて、バスが駅に着く（まで　までに）とても時間がかかった。
19. 病気で学校を休んでいる（あいだ　あいだに）、友だちが心配して、毎日電話をくれた。
20. 小学生の（あいだは　あいだに）水泳をやっていたが、中学になってからは野球を始めた。
21. 留守の（あいだ　あいだに）、母からの荷物が届いていた。
22. バスを待っている（あいだ　あいだに）雨が降り始めた。

V （　　）に入るのはどれですか。いちばんいいものを一つ選びなさい。

1. 母からの手紙には病気をしない（　　　）書いてありました。
    a．ようなと　　　b．らしいが　　　c．ようにと　　　d．そうだと
2. 山登りに行ったのですが、途中で雨に（　　　）頂上までは行けませんでした。
    a．降ったら　　　b．降って　　　c．降らせて　　　d．降られて
3. 田中先生はいつも子どもたち（　　　）ような授業をしています。
    a．を考える　　　b．に考えさせる　　　c．に考えられる　　　d．と考えた
4. この（　　　）今週までで、来週は少し暖かくなるそうです。
    a．寒いことも　　　b．寒くても　　　c．寒さも　　　d．寒かったのも

5．小学生のころ、テストで漢字を間違えると何度も書いて（　　　）。
　　a．練習しだした　　　　　　　　b．練習された
　　c．練習しておいた　　　　　　　d．練習させられた

6．「すみません。来週は試験があるので、アルバイトを（　　　）」
　　「わかりました。かまいませんよ」
　　a．休んでください　　　　　　　b．休まれてもいいですか
　　c．休まなければなりませんか　　d．休ませてください

7．「あの建物はいつごろ（　　　）のですか」
　　「100年ぐらい前です」
　　a．建てられた　　b．建てさせた　　c．建てていた　　d．建てておいた

8．電車の事故で、約束の時間に遅れて、友だちを1時間も（　　　）しまった。
　　a．待って　　b．待たせて　　c．待たされて　　d．待たれて

9．今日は7時（　　　）帰れそうだ。
　　a．まえは　　b．まで　　c．までは　　d．までに

Unit 10 83～90

レベル ★★★

83 尊敬表現

意味 目上の人の行為を尊敬して言うときに使う／Used when referring respectfully to actions of social superiors／对长辈、上司的动作表示尊敬时使用／윗사람의 행위에 대한 존경을 나타낼 때 쓴다.

① お＋動詞のマス形＋になる

1 「先生はもうお帰りになりました」
2 これは山本先生がおかきになった絵です。
3 「何か、お飲みになりますか」
4 「課長のお子さん、お生まれになったそうですよ」

② 動詞＋(ら)れる　　動詞Ⅰ　あ段＋れる　　読む→読まれる
　　　　　　　　　　動詞Ⅱ　る→られる　　起きる→起きられる
　　　　　　　　　　動詞Ⅲ　する→される　　来る→来られる

1 「先生は毎朝何時ごろ起きられますか」
2 「山田さんは夏休みにどこかへ行かれるのですか」
3 「おたばこをすわれる方は、あちらのお席へどうぞ」

③ 特別な形の尊敬語（→99ページ）

1 「先生は図書室にいらっしゃいます」
2 課長は出張で京都へいらっしゃるそうだ。
3 「先輩、あのテレビ番組、ごらんになりましたか」
4 （レストランで）「小林さんは何になさいますか」

＊＜お＋動詞のマス形＋ください＞ていねいな依頼／Polite request: お＋マス -form of verb ＋ください／比较客气的请求"お＋动词的マス形＋ください"／정중한 부탁　お＋동사의 マス형＋ください

1 「こちらで5分ほどお待ちください」
2 「お疲れになったでしょう。どうぞごゆっくりお休みください」
3 「このパンフレット、もらってもいいですか」「はい、ご自由にお持ちください」

* <お+動詞のマス形+です>「~ている」のていねいな言い方　ただし、この形になる動詞は少ない／The pattern o+masu verb form+ desu (~ te iru)is an honorific. Few verbs take this form.／<お+動詞のマス形+です>, 比"~ている"客气。能用这个形式表示尊敬的动词很少。／<お+동사의 마스형+です>「~ている」의 정중한 표현. 단, 이 형태로 되는 동사는 적음

🎧 1 「高橋さん、この本をお持ちですか」
　 2 「渡辺さん、課長がお呼びですよ」
　 3 （呼び出し）「鈴木様、お連れの方がお待ちですので、受付までおいでくださいませ」

特別な形の尊敬語と謙譲語

尊敬語	ふつうの言い方	謙譲語
いらっしゃる* おいでになる	行く・来る	まいる
いらっしゃる*	いる	おる
なさる*	する	いたす
おっしゃる*	言う	申す・申し上げる
————	聞く（質問する）	うかがう
めしあがる	食べる・飲む	いただく
ごらんになる	見る	はいけんする
お亡くなりになる	死ぬ	————
ご存じだ	知っている	存じている
————	会う	お目にかかる
————	あげる	さしあげる
————	もらう	いただく
くださる*	くれる	————

*の動詞はマス形が「~います」の形になる。

84 謙譲表現

意味 自分の行為を謙遜して言うときに使う／Used when showing humility about one's own actions ／对自己的动作表示谦虚时使用／자신의 행위를 겸손하게 말할 때 쓴다.

① お＋動詞のマス形＋する

1 「先生、そのお荷物、わたしがお持ちします」
2 「コーヒーでもおいれしましょうか」
3 「先生、その本をお借りしてもよろしいでしょうか」
4 「社長がお戻りになるのを、ここでお待ちすることにします」

② 特別な謙譲語（→99ページ）

1 「はじめまして。小林と申します。どうぞよろしくお願いいたします」
2 「あしたは一日うちにおります」
3 「すみません、ちょっとお伺いしたいのですが、東京駅はどちらでしょうか」

注意 「内」の人（自分の家族や職場の人）のことを「外」の人に話すときには、謙譲表現を使う。／Use humble language when talking about your inner circle (family or colleagues) to people outside your circle.／对"外"人谈起"内"人（自己的家里人或同事）的事情时，使用谦让表现／「内（내부）」의 사람（자신의 가족이나 같은 학교・직장 사람）에 관한 내용을「외（외부）」의 사람에게 말할 때에 겸양표현（겸손）을 사용한다.

1 「父が『よろしく』と申しておりました」
2 「部長は出張で大阪に行っております」

85 そのほかのていねいな言い方

① 名詞 → 頭に「お／ご」をつける
- おなまえ　お宅　お手紙　お仕事　お電話　おるす
- ご家族　ご住所　ご相談

② イ形容詞 → 頭に「お」をつける
- おいそがしい　お若い　おうつくしい

ナ形容詞 → 頭に「お」または「ご」をつける
- おひま　お元気　おきれい　ご親切

③ あります → ございます
- 「お手洗いは2階にございます」

④ です → でございます
- 「15,000円でございます」

86 ～まま

意味 本来は～しなければならないのに、～しない状態で／Even though should have done ~, has not／本来该做~的，却保持着不做~的状态／원래는 ~ 하지 않으면 안되는데, ~ 하지 않는 상황에서

接続 動詞のタ形

1 クーラーをつけたまま寝て、かぜをひいてしまった。
2 「日本ではくつをはいたまま家に入ってはいけません」
3 果物を食べようと思って買ってきたのに、冷蔵庫に入れたまま忘れてしまった。
＊ 「あれ、この時計、止まったままだ」

87 ～ずに

意味 ～ない状態で（＝～ないで）／Without (same as ～ないで)／不做～（＝～ないで）／～(하지) 않는 상황에서（＝～하지 않고）

接続 動詞のナイ形　→～食べ~~ない~~＋ずに　　＊する→せずに

1　わたしはいつも朝ごはんを食べずに会社へ行く。
2　彼女は何も言わずに部屋を出て行った。
3　「準備体操をせずにプールに入ってはいけません」
4　「わたしたちのことを忘れずにいてください」

88 ～はず

意味 理由から考えれば、当然～だろう／Considering the reason, is natural／从常理上考虑，当然应该～／이유를 생각해 보면, 당연히 ~ 일 것이다.

接続 【名詞・イ形容詞・ナ形容詞・動詞】の名詞修飾形

1　小学生以下なら、入場料は半額のはずです。
2　山田さんはアメリカに留学したことがあるから、英語は得意なはずだ。
3　毎日残業があると言っていたから、彼はいそがしいはずですよ。
4　「テイさん、遅いですね。どうしたのでしょう？」
　　「遅れても来るはずですよ。電話でかならず行くと言っていましたから」
5　あのまじめなリンさんが、そんな悪いことをするはずがない。

89 ～たばかり

意味 動作が完了してから、時間が短い／Time after completion of action is short／动作刚刚结束／동작이 완료되고 난 후 시간이 얼마 되지 않음 (직후)

接続 動詞のタ形

1　先月日本へ来たばかりです。
2　買ったばかりのかさをなくしてしまった。
3　さっきメールを出したばかりなのに、もう返事が返ってきた。
4　「お昼ごはんを食べに行かない？」「さっき食べたばかりだから……」

90　〜ちゃ／ちゃう（縮約形）

意味 くだけた会話で使う／Used in informal conversation／在很随便的会话中使用／(친한 사람 등과의) 격식없는 대화에서 쓰인다.

①　〜ちゃ（＝ては）

ては→ちゃ　では→じゃ　なくては→なくちゃ

　　1　「ゲームばかりし<u>ちゃ</u>いけませんよ」
　　2　「そんなにお酒を飲ん<u>じゃ</u>だめだよ」
　　3　「危ないから、やっ<u>ちゃ</u>だめ」
　　4　「あしたまでに宿題を出さなく<u>ちゃ</u>」（＝出さなくてはいけない）

②　〜ちゃう（＝てしまう）

てしまう→ちゃう　でしまう→じゃう

　　1　「おなかがすいていたから、全部食べ<u>ちゃった</u>」
　　2　「とてもうれしくて、涙が出<u>ちゃいました</u>」
　　3　「この本、おもしろかったから、1日で読ん<u>じゃった</u>」
　　4　「買ったばかりのカップを割っ<u>ちゃって</u>ね、おこられ<u>ちゃった</u>よ」

Unit 10 83〜90　ディクテーション

83　・「先生はもう＿＿＿＿＿＿＿＿＿＿＿＿＿＿＿＿」

　　・「先生は毎朝何時ごろ＿＿＿＿＿＿＿＿＿＿＿＿＿＿＿＿」

　　・「先生は図書室に＿＿＿＿＿＿＿＿＿＿＿＿＿＿＿＿」

　　・「先輩、あのテレビ番組、＿＿＿＿＿＿＿＿＿＿＿＿＿＿＿＿」

　　・「こちらで５分ほど＿＿＿＿＿＿＿＿＿＿＿＿＿＿＿＿」

　　・「高橋さん、この本を＿＿＿＿＿＿＿＿」

84　・「先生、そのお荷物、わたしが＿＿＿＿＿＿＿＿＿＿＿＿＿＿＿＿」

　　・「はじめまして。小林と＿＿＿＿＿＿＿＿＿＿＿。どうぞよろしくお願い＿＿＿＿＿

　　　＿＿＿＿＿＿＿」

　　・「あしたは一日うちに＿＿＿＿＿＿＿＿＿＿＿」

85　・「お手洗いは２階＿＿＿＿＿＿＿＿＿＿＿＿＿＿＿＿」

86　・クーラーを＿＿＿＿＿＿＿＿＿＿＿＿寝て、かぜをひいてしまった。

87　・わたしはいつも朝ごはんを＿＿＿＿＿＿＿＿＿＿＿＿会社へ行く。

88　・山田さんはアメリカに留学したことがあるから、英語は＿＿＿＿＿＿＿＿＿＿

　　　＿＿＿＿だ。

89　・先月日本へ＿＿＿＿＿＿＿＿＿＿＿＿＿＿＿＿です。

90　・「そんなにお酒を＿＿＿＿＿＿＿＿＿＿＿＿＿＿だよ」

　　・「おなかがすいていたから、全部＿＿＿＿＿＿＿＿＿＿＿＿＿＿＿＿」

Unit 10 83〜90   練 習

I （　）にひらがなを1字ずつ書きなさい。

1. 彼女は何も言わず（　）部屋を出て行った。
2. 山田さんはアメリカに留学したことがあるから、英語は得意（　）はずです。
3. 「準備体操をしない（　）プールに入ってはいけません」
4. さっきメールを出したばかり（　）のに、もう返事が返ってきた。
5. 「こちらのバッグはフランス製（　）ございます」
6. 「小学生以下なら、入場料は半額（　）はずですよ」
7. 「（　）親切に、どうもありがとうございます」
8. 「こちらに（　）名前と（　）住所をお書きください」

II ＿＿＿＿のことばを「お〜になる」または「お（ご）〜する」を使って書きなさい。

1. これは山本先生がかいた絵です。　　　　　　　　　＿＿＿＿＿＿＿＿
2. あの本、もう読みましたか。　　　　　　　　　　　＿＿＿＿＿＿＿＿
3. そのお荷物、わたしがもちます。　　　　　　　　　＿＿＿＿＿＿＿＿
4. この本をかりてもいいですか。　　　　　　　　　　＿＿＿＿＿＿＿＿
5. 田中様がもどるのを、ここでまちます。
　　　　　　　　　　　　　　　　　　＿＿＿＿＿＿＿＿
6. たばこをすいますか。　　　　　　　　　　　　　　＿＿＿＿＿＿＿＿
7. 先生に写真を見せました。　　　　　　　　　　　　＿＿＿＿＿＿＿＿
8. わたしが駅まであんないします。　　　　　　　　　＿＿＿＿＿＿＿＿

III ＿＿＿＿のことばを特別な形の尊敬語または謙譲語にしなさい。

1. 先生は図書室にいます。　　　　　　　　　　　　　＿＿＿＿＿＿＿＿
2. 何でも言ってください。　　　　　　　　　　　　　＿＿＿＿＿＿＿＿

3．はじめまして。小林といいます。よろしくお願いします。

　　　　　　　　　　　　　　_____　　_____

4．きのう先生に聞いたのですが、先生は大学のとき、スペイン語を勉強したそうです。

　　　　　　　　　　　　　　_____

5．あの映画をもう見ましたか。　　　　　　　　　　　　　_____

6．「吉田様に会って、言いたいことがあるのですが」

　　　　　　　　　　　　　　_____　　_____

　「あしたは一日会社にいますから、いつでも来てください」「では、2時ごろ行きます」

_____　　　　　　　　　　　　　　　　　　　　_____

7．「何か飲みますか」「では、コーヒーを飲みます」

　　　　　　　　　　　　　　_____　　_____

8．「山本さんを知っていますか」「はい、知っています」

　　　　　　　　　　　　　　_____　　_____

Ⅳ　（　　）のことばを適当な形にして_____に書きなさい。

1．クーラーを_____ままま寝て、かぜをひいてしまった。（つける）

2．わたしはいつも朝ごはんを_____ずに会社へ行く。（食べる）

3．テイさんはかならず_____はずです。きのう、そう言っていましたから。（来る）

4．わたしは先月日本へ_____ばかりです。（来る）

5．「ゲームばかり_____ちゃいけませんよ」（する）

Ⅴ　ふつうの言い方にしなさい。

1．全部食べちゃった。　　　　　　　　　　　　　　　　　　_____

2．そこはあぶないから行っちゃだめ。　　　　　　　　　　　_____

3．お手洗いは3階にございます。　　　　　　　　　　　　　_____

4.「佐藤さん、課長がお呼びです」　_____

5. おつりでございます。　_____

6. 部長は出張で大阪に行っております。　_____

VI　（　　）に入るのはどれですか。いちばんいいものを選びなさい。

1.「病気がなおった（　　）だから、あまり無理をしないでね」
　　a．つもり　　　b．はず　　　c．ばかり　　　d．こと

2. 疲れていたので、洋服を着た（　　）寝てしまった。
　　a．あいだ　　　b．ながら　　c．ところ　　　d．まま

3. 母「約束したら（　　）だめよ」　子「うん、わかった」
　　a．まもらなくちゃ　b．まもるは　　c．まもっちゃ　　d．まもらなくて

4.「先日はごあいさつも（　　）帰ってしまいました。大変失礼しました」
　　a．しなく　　　b．しずに　　c．せずに　　　d．して

5.「郵便局はまだ開いていますか」「もう閉まっている（　　）よ。5時すぎですから」
　　a．ことがあります　b．はずです　　c．ばかりです　　d．ことになります

6.「課長、A銀行の佐藤様が第一会議室でお（　　）です」
　　a．待ち　　　b．待ちに　　c．待って　　d．待っている

7.「土日ならうちに（　　）ので、何時に電話してもらってもかまいません」
　　a．まいります　　b．いたします　　c．いらっしゃいます　　d．おります

8.「すみません。昔、このあたりに病院があったのを（　　）か」
　「さあ、ちょっとわかりませんね」
　　a．お知りになります　b．ご存じです　　c．知っております　　d．お聞きしました

9.「山田部長はいつごろ（　　）か」「4時すぎになると思います」
　　a．お戻りになります　b．お戻りします　　c．お戻りいたします　d．お戻りされます

10.「あちらのドアは閉まっていますので、こちらから（　　）ください」
　　a．お入りして　　b．入れて　　c．お入って　　d．お入り

11.「高木社長はいらっしゃいますか」「すみません、今日はこちらには来て（　　）」
　　a．いらっしゃいません　　　　b．いただきません
　　c．おりません　　　　　　　　d．くださいません

まとめテスト3 Unit 08〜10 66〜90

I （　）にひらがなを1字ずつ書きなさい。(1 × 25) 〔25〕

1．わたしは友だち（　）駅まで迎えに行ってあげました。
2．わたしはリンさん（　）英語（　）教えてもらいました。
3．最後まで走ろう（　）しましたが、できなかった。
4．今日から、毎日漢字を三つおぼえること（　）した。
5．道を歩いているとき、知らない人（　）道（　）聞かれた。
6．テイさんはリンさん（　）かさを貸してあげました。
7．子どものころ、母（　）きらいな野菜（　）食べさせられた。
8．習ったことばは、すぐに使ってみるよう（　）しています。
9．リンさんはチンさん（　）1時間待たせました。
10．あの先生は学生（　）毎日作文（　）書かせます。
11．わたしは友だち（　）かばん（　）持ってあげました。
12．「おもしろそうなゲームですね。わたし（　）もやらせてください」
13．次の同窓会は京都で開くこと（　）なりました。
14．医者（　）、今日はおふろに入らないよう（　）言われました。
15．わたしはいつも朝ごはんを食べない（　）会社に行きます。
16．おばあさんが乗ってきたのに、だれも席をゆずろう（　）しなかった。
17．うちを出よう（　）したとき、電話がかかってきた。
18．「先生（　）教えていただいたことは忘れません」
19．電車の中で、だれか（　）わたし（　）足（　）ふみました。
20．先生がわたし（　）作文（　）なおしてくださいました。
21．「この部屋の広（　）はどのくらいありますか」
22．彼女は何も言わず（　）部屋を出て行った。
23．「小学生以下なら、入場料は半額（　）はずですよ」
24．「こちらのバッグはフランス製（　）ございます」
25．「こちらに（　）名前と（　）住所をお書きください」

II (　　　)のことばを適当な形にして＿＿＿＿に書きなさい。(1×25)

1. 今日はスーパーで買い物を＿＿＿＿＿＿帰ります。(する)
2. 電車に＿＿＿＿＿＿としたときに、ドアが閉まってしまった。(のる)
3. 暑いときは、水をたくさん＿＿＿＿＿＿ようにしましょう。(飲む)
4. 日本へ＿＿＿＿＿＿までは、不安でいっぱいだった。(来る)
5. 春子さんを映画にさそったのですが、＿＿＿＿＿＿しまいました。(ことわる)
6. 兄はいつもわたしに料理を＿＿＿＿＿＿て、自分は何もしない。(つくる)
7. 上手にできるようになるまで先生に、何度も練習＿＿＿＿＿＿た。(する)
8. この本は多くの若者に＿＿＿＿＿＿いる。(読む)
9. オウさんはいつもおもしろいことを言って、みんなを＿＿＿＿＿＿いる。(わらう)
10. 友だちの乗ったバスが遅れて、20分も＿＿＿＿＿＿しまいました。(まつ)
11. 雨に＿＿＿＿＿＿、ぬれてしまった。(ふる)
12. 「今日はたくさん歩いて疲れました。ちょっと＿＿＿＿＿＿ください」(休む)
13. テストの前の日に友だちに遊びに＿＿＿＿＿＿、勉強できなかった。(来る)
14. 彼は自分が悪いことをしたのに、＿＿＿＿＿＿としない。(あやまる)
15. 山田さんはアメリカに留学したことがあるから、英語が＿＿＿＿＿＿はずです。(じょうず)
16. 子どもが生まれたので、たばこは＿＿＿＿＿＿ことにしました。(すう)
17. 来月出張でアメリカへ＿＿＿＿＿＿ことになりました。(行く)
18. これからは遅刻＿＿＿＿＿＿ようにします。(する)
19. 先生は学生に、あしたは9時までに＿＿＿＿＿＿ように言いました。(来る)
20. ＿＿＿＿＿＿ばかりのかさをなくしてしまった。(買う)
21. 準備体操を＿＿＿＿＿＿にプールに入ってはいけません。(する)
22. 今年の＿＿＿＿＿＿さは去年ほどではありません。(さむい)
23. くつを＿＿＿＿＿＿まま部屋に入ってはいけません。(はく)
24. 「そんなにお酒を＿＿＿＿＿＿じゃだめですよ」(飲む)
25. 暖かく＿＿＿＿＿＿きた。もうすぐ春だ。(なる)

Ⅲ （　　）に入るのはどれですか。いちばんいいものを一つ選びなさい。

(2 × 25) 　50

1．（　　）したのですが、熱が高くて起きられませんでした。
　　a．起きるに　　　b．起きられるに　　c．起きようと　　d．起きると

2．「この写真、いいですね。だれにとって（　　）のですか」
　　a．もらった　　　b．あげた　　　　c．くれた　　　　d．やった

3．これからは宿題を忘れない（　　）。
　　a．ことになります　　　　　　　b．ようにします
　　c．ためにします　　　　　　　　d．ものになります

4．兄は先生からいろいろと教えて（　　）そうです。
　　a．いただいた　　b．さしあげた　　c．くれた　　　　d．くださった

5．今日は8時（　　）帰れそうだ。
　　a．まえは　　　　b．までは　　　　c．までに　　　　d．まで

6．「田中さん、あさってから出張だそうですね」
　　「そうなんですよ。急に（　　）んです」
　　a．行けることにした　　　　　　b．行ったことがある
　　c．行ったほうがよかった　　　　d．行くことになった

7．パーティーのとき、友だちにたのんでピアノを（　　）。
　　a．ひかせました　　　　　　　　b．ひかされました
　　c．ひいてもらいました　　　　　d．ひいてくれました

8．約束の時間に遅れて、友だちを1時間も（　　）しまいました。
　　a．待って　　　　b．待たれて　　　c．待たされて　　d．待たせて

9．母からの手紙には、病気をしない（　　）書いてありました。
　　a．そうだと　　　b．ようにと　　　c．ようなと　　　d．らしいと

10．疲れていたので、服を（　　）寝てしまいました。
　　a．着るあいだ　　b．着たところ　　c．着たまま　　　d．着ながら

11．「ここにお名前とご住所を（　　）ください」
　　a．お書きして　　b．お書いて　　　c．書かれて　　　d．お書き

12．「お手洗いに（　　）ので、ここで待っていてください」
　　a．行っていきます　　　　　　　b．行ってきます
　　c．来ていきます　　　　　　　　d．来てもらう

13. 田中先生はいつも、子どもたち（　　　）ような授業をします。
    a. を考える
    b. に考えられる
    c. に考えさせる
    d. を考えさせられる

14. 「すみません、かぜをひいたので、あしたは（　　　）」
    「わかりました。いいですよ」
    a. 休んでください
    b. 休まれてもいいですか
    c. 休ませてもいいですか
    d. 休ませてください

15. 山田さんは難しい試験に合格して、みんな（　　　）。
    a. におどろかせた
    b. におどろいた
    c. をおどろかせた
    d. をおどろかれた

16. 留守の（　　　）母からの荷物が届いていた。
    a. あいだ　　b. あいだに　　c. まで　　d. までに

17. 「まだ病気がなおった（　　　）だから、無理はしないほうがいいですよ」
    a. まま　　b. ばかり　　c. つもり　　d. はず

18. 母「約束したら（　　　）だめよ」　子「うん、わかった」
    a. まもらなくちゃ　b. まもっちゃ　c. まもらなくて　d. まもるは

19. 「郵便局はもう閉まっている（　　　）よ。5時すぎですから」
    a. ことです　　b. ものです　　c. はずです　　d. ばかりです

20. 「あの本、もう（　　　）ましたか」
    a. お読みし　　b. 読みになり　　c. 読ませ　　d. 読まれ

21. 「何もありませんが、どうぞ（　　　）ください」
    a. めしあがって　b. いただいて　c. さしあげて　d. 食べられて

22. 「すみません、ちょっと（　　　）しますが、図書館はどちらでしょうか」
    a. うかがい　　b. おうかがい　　c. 聞かれ　　d. お聞かれ

23. 先生のご家族のお写真を（　　　）。
    a. 見ていただきました
    b. 見せていただきました
    c. 見てくださいました
    d. 見せてさしあげました

24. 土曜日ならうちに（　　　）ので、何時に電話してもらってもかまいません。
    a. いらっしゃいます
    b. まいります
    c. おります
    d. なさいます

25. 「500円のおつり（　　　）」
    a. をさしあげます　b. にいたします　c. にございます　d. でございます

耳から覚える 日本語能力試験
文法トレーニング N4

総合問題

N4　総合問題　I

もんだい1　(　　)に 何を 入れますか。a・b・c・dから いちばん いい ものを 一つ えらんで ください。

1. 来週 みんなで 先生の 家へ 行く こと(　　) なりました。
   a．を　　　　b．に　　　　c．が　　　　d．で
2. 電車に のって いる (　　) ずっと 本を 読んで いた。
   a．あいだ　　b．あいだに　　c．まで　　　d．までに
3. 母の 手紙には、家族は みんな (　　) という ことが 書いてありました。
   a．元気な　　b．元気　　　c．元気で　　d．元気だ
4. 「春子、早く (　　) なさい」
   a．起きて　　b．起きろ　　c．起き　　　d．起きよう
5. おなかが すいている ときは 何(　　) おいしいです。
   a．でも　　　b．も　　　　c．がも　　　d．とか
6. この くつは (　　) すぎて はけません。
   a．小さい　　b．小さく　　c．小さ　　　d．小さくて
7. 「(　　) そうですね。何か いい ことが あったのですか」
   a．うれしい　b．うれし　　c．うれしくて　d．うれしかった
8. やくそくは (　　) ば なりません。
   a．まもれ　　b．まもろう　c．まもらなけれ　d．まもらなく
9. 母に 何度も 買い物に (　　)、疲れて しまった。
   a．行かされて　b．行かれて　c．行かせて　d．行かさせられて
10. 来月 帰国するので、ひこうきの チケットを よやく (　　)。
    a．してみました　　　　　　　　b．したことがあります
    c．しておきました　　　　　　　d．しようとしました
11. A「この 歌を 知っていますか」
    B「ええ、前に 一度 (　　)」
    a．聞く ことが ありました　　　b．聞く ことが あります
    c．聞いた ことが ありました　　d．聞いた ことが あります

12. A「田中さんは もう 帰りましたか」
    B「ええ、たった今、(　　　)」
    a．帰る ところでした　　　　　b．帰っている ところです
    c．帰った ところです　　　　　d．帰りおわった ところです

13. A「きのうは たんじょう日だったので、プレゼントを たくさん もらったんですよ。先生からも いただきました」
    B「へえ、よかったですね。先生は 何を (　　　)」
    a．さしあげましたか　　　　　b．もらいましたか
    c．いただきましたか　　　　　d．くださいましたか

14. A「きょうは 自分の 車で 来たんですか」
    B「ええ、そうです」
    A「じゃ、おさけを (　　　)」
    a．飲まなくちゃ いけませんね　　b．飲んじゃ だめですよ
    c．飲んじゃいましょうよ　　　　d．飲まなくちゃ なりませんよ

15. A「すみません、ねつが あるので、少し 早く 帰っても いいですか」
    B「いいですよ。(　　　)」
    a．どうぞ おだいじに　　　　　b．おかえりなさい
    c．よく いらっしゃいました　　d．おめでとうございます

もんだい2　★ に 入る ものは どれですか。　a・b・c・d から いちばん いい ものを 一つ えらんで ください。

1. かぜを ひいた ときは むり ＿＿＿ ＿＿＿ ★ ＿＿＿ 注意されました。
   a．と　　　　b．しない　　　　c．を　　　　d．ように

2. うちの 犬は ＿＿＿ ＿＿＿ ★ ＿＿＿ です。
   a．の　　　　b．これ　　　　c．大きさ　　　　d．くらい

3. わたしの ＿＿＿ ＿＿＿ ★ ＿＿＿ です。
   a．まどが　　　b．へやは　　　c．あかるい　　　d．大きくて

4. 高校生の ときに ＿＿＿ ＿＿＿ ★ ＿＿＿ よく 覚えている。
   a．教えていただいた　　　　b．今でも
   c．ことは　　　　　　　　　d．先生に

5. 小林さんは ＿＿＿ ＿＿＿ ★ ＿＿＿ 30さいです。
   a．もう　　　b．見えますが　　c．まだ　　　d．学生のように

もんだい3　1　から　5　に　何を　入れますか。a・b・c・dから
　　　　　　いちばん　いい　ものを　一つ　えらんで　ください。

　日本へ　来て　いちばん　たいへんだった　ことは　病気を　した　ことでした。日本へ　来て　3ヵ月が　すぎた　ころ　でした。朝　起きたら、胃が　いたくて　1　食べたくありませんでした。どうして　胃が　2　、よく　わかりませんでした。薬を　飲んで　会社へ　行きましたが、午後に　なると、　もっと　わるく　なりました。　3　、いっしょに　はたらいている　吉田さんに　教えてもらって、近くの　病院へ　行きました。

　お医者さんに「あまり　4　ですよ。いい　薬を　あげますから、すぐに　治りますよ」と　言われました。3日ぐらい　したら、なおりましたが、会社の　人たちに　めいわくを　かけて　しまいました。これからは、けんこうに　気を　5　と、思いました。

1　a．なにか　　　　b．なにも　　　　c．なんでも　　　d．なにを

2　a．いたく　なったか　どうか　　　　b．いたく　なりました
　　c．いたく　なったのに　　　　　　　d．いたく　なったのか

3　a．しかし　　　　b．そして　　　　c．そのために　　d．それで

4　a．しんぱいしなくても　いい　　　　b．しんぱいしても　かまわない
　　c．しんぱいしたほうが　いい　　　　d．しんぱいしないと　いい

5　a．つける　ことに　なるだろう　　　b．つけましょうか
　　c．つけるように　しよう　　　　　　d．つけようと　する

N4　総合問題　Ⅱ

もんだい1　(　　)に 何を 入れますか。a・b・c・dから いちばん いい ものを 一つ えらんで ください。

1. タクシーで 行った (　　)、間に合いませんでした。
   a．のに　　　　b．でも　　　　c．ので　　　　d．より

2. 弟は サッカーせんしゅに (　　) います。
   a．なりたくて　　b．なりたくして　　c．なりたがって　　d．なるとして

3. リンさんは おとといから 学校を 休んでいる。病気(　　)。
   a．ようだ　　b．そうだ　　c．ことだ　　d．らしい

4. 「山へ (　　)、セーターを 持っていった ほうが いいですよ」
   a．行けば　　b．行ったら　　c．行くなら　　d．行くと

5. れんしゅう したら、自転車に (　　) なりました。
   a．乗れるに　　b．乗ったに　　c．乗るように　　d．乗れるように

6. 「もうすぐ 試験だ。 みんな、(　　)」
   a．がんばるか　　b．がんばった　　c．がんばろう　　d．がんばるな

7. へんな 音が する。 何の 音(　　)。
   a．か　　　　b．の　　　　c．でも　　　　d．かな

8. 雨が (　　) ので、せんたくものを 家の 中に 入れた。
   a．ふりだした　　b．ふるだろう　　c．ふりすぎた　　d．ふりおわった

9. 「(　　)、まどを 開けても いいですよ」
   a．暑くて　　b．暑ければ　　c．暑いと　　d．暑かったなら

10. 「佐藤先生は 何時ごろ (　　)」
    a．もどりしますか　　　　　　b．もどられますか
    c．もどりに なりますか　　　　d．もどりに なられますか

11. 学生「先生、どうしたら 日本語が じょうずに なりますか」
    先生「ならった ことばは すぐに (　　)」
    a．使ってみても いいですよ　　　　b．使ってみると いいですよ
    c．使ってしまいましょう　　　　　　d．使ってしまったら どうですか

117

12. 山田「鈴木さんは スキーが できますか」
    鈴木「ええ、でも 山田さん（　　　）」
    a．より へたではありません　　　b．のほうより できません
    c．ほど じょうずではありません　　d．のほうが すきです

13. A「どうしたんですか」
    B「けいたい電話を なくして（　　　）んです」
    a．いた　　　b．あった　　　c．おいた　　　d．しまった

14. A「すみません。くつ売り場は どこですか」
    B「（　　　）」
    a．2かいに まいります　　　　b．2かいで ございます
    c．2かいに おります　　　　　d．2かいで いらっしゃいます

15. A「新しい 仕事が 見つかった そうですね。よかったですね」
    B「（　　　）」
    a．どういたしまして　　　　　b．おまたせしました
    c．それは たいへんでしたね　　d．おかげさまで

もんだい2　＿＿★＿＿に 入る ものは どれですか。 a・b・c・dから いちばん いい ものを 一つ えらんで ください。

1. あしたは ＿＿＿ ＿＿＿ ★ ＿＿＿ と 思います。
    a．はやく　　b．しよう　　c．おきて　　d．さんぽ

2. この ＿＿＿ ＿＿＿ ★ ＿＿＿ 気を つけて ください。
    a．やすい　　b．きかいは　　c．ですから　　d．こわれ

3. 子どもは ＿＿＿ ＿＿＿ ★ ＿＿＿ 言いませんでした。
    a．泣いて　　b．いて　　c．何も　　d．ばかり

4. ジョンさんと オウさんが ＿＿＿ ＿＿＿ ★ ＿＿＿ ます。
    a．が　　b．の　　c．聞こえ　　d．話している

5. きっぷを ＿＿＿ ＿＿＿ ★ ＿＿＿ ください。
    a．きますから　　b．待っていて　　c．ここで　　d．買って

もんだい3　1　から　5　に　何を　入れますか。a・b・c・dから
いちばん　いい　ものを　一つ　えらんで　ください。

　わたしは　日本語の　先生です。半年(はんとし)前から　1　中級(ちゅうきゅう)クラスは、みんな
まじめで、休んだり　ちこくを　したり　する　学生は　2　。でも　10日ぐらい
　前から、ミンさんが　ときどき　ちこくするように　なりました。3　と　注意
しても　なおりません。とても　しんぱい　しました。

　きのう、ミンさんの　友だちの　学生が　わたしの　そばに　来て、小さい　声(こえ)で
言いました。「先生、ミンちゃん、お母さんに　なったんです」ええっ！
びっくりしました。「まだ　21さいなのに。ミンさんの　ご両親(りょうしん)は　知っているのかしら。
あした　ミンさんと　話を　4　」などと　考えていると、もう一人の　学生が
言いました。「ねこの　赤ちゃんの　せわで　たいへんらしいです」
なあんだ。ミンさんは　5　子ねこを　ひろってきて、育(そだ)てていたのでした。

1　a．おしえた　　　b．おしえる　　　c．おしえている　　d．おしえていた

2　a．ほとんど　いません　　　　　b．すこし　多いです
　c．すこししか　います　　　　　d．ほとんどです

3　a．ちこく　しないと　いいですね　　b．ちこく　しませんね
　c．ちこく　しないほうが　いいです　　d．ちこく　しないように

4　a．しなかったら　b．しなくては　c．したら　どう　d．するといいな

5　a．すてておいた　　　　　　　　b．すてられていた
　c．すてさせていた　　　　　　　　d．すてさせられていた

N4　総合問題　III

もんだい1　（　）に　何を　入れますか。a・b・c・dから　いちばん　いい　ものを　一つ　えらんで　ください。

1. この　漢字は　むずかしいから、大学生（　　）よく　まちがえます。
   a．ので　　　　b．にも　　　　c．でも　　　　d．だけ

2. こうさてんを　（　　）と　した　とき、しんごうが　赤に　かわりました。
   a．わたれ　　　b．わたろう　　c．わたり　　　d．わたる

3. この　公園には、さくらの　木が　300本（　　）あるそうだ。
   a．も　　　　　b．が　　　　　c．に　　　　　d．でも

4. 「きょうは　寒いから　上着を　（　　）ほうが　いいですよ」
   a．着た　　　　b．着るの　　　c．着て　　　　d．着たの

5. あしたは　学校も　ある（　　）、アルバイトも　ある（　　）、忙しいです。
   a．と／と　　　b．や／や　　　c．し／し　　　d．とか／とか

6. 子どもは　先生に　（　　）、とても　うれしそうでした。
   a．ほめて　　　b．ほめられて　c．ほめさせて　d．ほめさせられて

7. 「レポートは　来週の　金曜日（　　）出して　ください」
   a．まで　　　　b．あいだ　　　c．までに　　　d．あいだに

8. さっき、駅前で　交通事故が　（　　）。
   a．あるそうでした　　　　　　　b．ありそうでした
   c．あったそうです　　　　　　　d．あったそうでした

9. 「いい　ところですね。わたしも　（　　）ところに　住みたいです」
   a．ここ　　　　b．こんな　　　c．これ　　　　d．こう

10. A「時間が　ないから、タクシーで　（　　）」
    B「そうですね」
    a．行く　ことが　できますよ　　b．行っては　いけませんね
    c．行くなら　いいですよ　　　　d．行きましょうか

11. 山本「高橋くんは　小さい　とき、どんな　子ども　だったの？」
    高橋「小さい　ときは　体が　弱くてね。よく　母を　しんぱい（　　）んだ」
    a．させた　　　b．された　　　c．した　　　　d．させられた

12. A「空が 暗くなって きましたね」
    B「そうですね。雨が（　　　）ね」
    a．降ることが あります　　　b．降る ところです
    c．降って いきます　　　　　d．降るかもしれません

13. A「お母さまは いつごろ こちらへ いらっしゃいますか」
    B「あしたの 朝（　　　）」
    a．おります　　　　　　　　b．いらっしゃいます
    c．まいります　　　　　　　d．来られます

14. A「漢字で 書かなくても いいですか」
    B「いいえ、（　　　）」
    a．ひらがなでも いいです
    b．ひらがなで 書かなければ なりません
    c．漢字で 書いても かまいません
    d．かならず 漢字で 書いて ください

15. A「来週 入院することに なりましてね」
    B「（　　　）」
    a．それは いけませんね　　　b．おつかれさまです
    c．どういたしまして　　　　d．いってらっしゃい

もんだい2　 ★ に 入る ものは どれですか。 a・b・c・dから いちばん いい ものを 一つ えらんで ください。

1. 教室に ＿＿＿ ＿＿＿ ★ ＿＿＿ あった。
   a．はって　　b．子どもたちの　　c．絵が　　d．かいた

2. 3時間 ＿＿＿ ＿＿＿ ★ ＿＿＿ のどが いたくなった。
   a．つづけた　　b．ので　　c．歌い　　d．も

3. ＿＿＿ ＿＿＿ ★ ＿＿＿ ばらの 花を くれた。
   a．あね　　b．わたし　　c．は　　d．に

4. サイズが ＿＿＿ ＿＿＿ ★ ＿＿＿ ください。
   a．どうか　　b．あうか　　c．みて　　d．着て

5. A「いつまでも さむいですね」
   B「＿＿＿ ＿＿＿ ★ ＿＿＿ と あたたかく なると 思いますよ」
   a．2週間　　b．する　　c．あと　　d．くらい

もんだい3　____1____　から　____5____　に　何を　入れますか。a・b・c・dから
いちばん　いい　ものを　一つ　えらんで　ください。

　わたしの　家は　学校から　遠い。毎朝　バスと　電車で　学校まで　1時間　かけて　行く。雨や　事故で、ときどき　バスや　電車が　____1____。2週間前にも、事故が　あって　電車が　いつもより　40分も　遅れてしまった。学校に　着いた　ときは　もう　授業が　____2____。その日は　1時間目に　テストが　あったが、____3____、受けられなかった。先生に　「今日　____4____」と　聞いたら、「はい、今日　受けて　ください」と　言われた。授業が　終わって　テストを　受けて　帰った。とても　疲れた　1日　だった。

　そんな　ことが　あってから、学校の　近くに　住みたいと　思うようになった。今度の　夏休みに　新しい　アパートを　見つけて　____5____　なあと　思う。

1　a．遅れる　ことが　ある　　　　　　b．遅れようと　する
　　c．遅れる　ことに　する　　　　　　d．遅れた　ことが　ある

2　a．始まった　　　b．始めていた　　c．始めた　　　　d．始まっていた

3　a．電車が　遅れたら　　　　　　　　b．電車が　遅れたのに
　　c．電車が　遅れたために　　　　　　d．電車が　遅れても

4　a．受けなければ　なりませんか　　　b．受けなくても　いいですか
　　c．受けましょうか　　　　　　　　　d．受けては　いけませんか

5　a．ひっこしを　したら　いい　　　　b．ひっこしを　しそうだ
　　c．ひっこしを　しよう　　　　　　　d．ひっこしが　できたら　いい

N4　総合問題　　Ⅳ

もんだい1　（　　）に　何を　入れますか。a・b・c・dから　いちばん　いい　ものを　一つ　えらんで　ください。

1. 休みの　日には　そうじ（　　）、せんたく（　　）、家の　仕事を　します。
   a．とか／とか　　b．など／など　　c．たり／たり　　d．し／し

2. 「この　漢字が（　　）か」
   a．読みます　　b．読みました　　c．読めます　　d．読められます

3. 「ちょっと　休んで　お茶（　　）飲みませんか」
   a．も　　b．でも　　c．まで　　d．しか

4. きのう、夜の　12時すぎに　電話が　かかって（　　）。
   a．いた　　b．いった　　c．きた　　d．した

5. 「わたしにも　意見を（　　）ください」
   a．言われて　　b．言わさせて　　c．言わせて　　d．言わされて

6. 「あした（　　）、ちょっと　てつだって　ください」
   a．ひまでも　　b．ひまだと　　c．ひまなので　　d．ひまだったら

7. 「時間に（　　）だめだよ」
   a．おくれじゃ　　b．おくれちゃ　　c．おくれじゃう　　d．おくれちゃう

8. 宿題を（　　）に　学校へ　行って、先生に　しかられた。
   a．せず　　b．しない　　c．しず　　d．して

9. A「この　くだものの　食べかたを　教えて　ください」
   B「（　　）、かわを　むいて　食べるんです」
   a．こんなして　　b．こんなに　　c．これように　　d．こうやって

10. A「お父さんへの　プレゼント、何（　①　）しようか」
    B「ネクタイ（　②　）いいと　思うよ」
    ①　a．が　　b．は　　c．を　　d．に
    ②　a．が　　b．は　　c．を　　d．に

11. A「こたえが　わかりましたか」
    B「今、（　　）ところです」
    a．考える　　b．考えた　　c．考えている　　d．考えよう

12. A「もうすぐ　試験ですね」
　　B「ええ、あしたから　毎日　2時間　勉強する　（　　　）です」
　　　a．かもしれない　b．はず　　　　c．ところ　　　　d．つもり

13. A「だれか、てつだって　くれませんか」
　　B「はい、わたしが　（　　　）」
　　　a．おてつだい　なさいます　　　b．おてつだい　いたします
　　　c．おてつだいに　なります　　　d．てつだって　おります

14. A「あしたから　山へ　行くそうですね」
　　B「その　よていなんですけど、雨が　降っていますからねえ」
　　A「（　　　）」
　　　a．やむ　ことが　ありますよ　　b．やんでも　いいですね
　　　c．やむと　いいですね　　　　　d．やんだら　どうですか

もんだい2　___★___ に　入る　ものは　どれですか。　a・b・c・dから　いちばん　いい　ものを　一つ　えらんで　ください。

1. ケーキ ____ ____ ★ ____ します。
　　a．が　　　　　b．を　　　　　c．いい　におい　d．やく

2. とても　疲れていたので ____ ____ ★ ____ しまった。
　　a．ねて　　　　b．すわった　　c．いすに　　　　d．まま

3. これからは　毎日　自分で ____ ____ ★ ____ した。
　　a．ごはんを　　b．ことに　　　c．食べる　　　　d．作って

4. 駅から　遠くて ____ ____ ★ ____ ほうが　いい。
　　a．でも　　　　b．安い　　　　c．家賃が　　　　d．不便

5. この　漢字の　読み方を　さっき ____ ____ ★ ____ 忘れてしまった。
　　a．ばかり　　　b．もう　　　　c．聞いた　　　　d．なのに

もんだい3　 1 から 5 に 何を 入れますか。a・b・c・dから
いちばん いい ものを 一つ えらんで ください。

　わたしが こどもの ころ、アイスクリームは 夏の 食べ物だった。 それが
今では 冬でも よく 食べられるようになった。どうして 1 。 2 、家の
中が 暖かくなったからだと 思う。 ストーブや エアコンで、家の 中は いつも
気持ちの いい 温度に なっている。 3 この 気持ちよさは 人間だけの
ものだ。わたしたちは 自分たちが 気持ちよく 生きるために、 たくさんの
エネルギーを 使っている。 そして、熱を 出している。 それは 地球には
よくない ことだと 言われている。
　一人の 人間が 出す 熱の 量は 少ないかもしれないが、 今、地球には
60億人もの 人間が いるのだ。 この 50年で 2倍に 4 。 人口は
これからも どんどん ふえていくだろう。 地球の ために、未来の 人間の
ために、 今の わたしたちは 5 、考えなければならないと 思う。

1　a．ですか　　　　b．でしょう　　　c．なの　　　　　d．だろうか

2　a．それは　　　　b．あれは　　　　c．それから　　　d．あれから

3　a．だから　　　　b．そして　　　　c．けれども　　　d．それで

4　a．なるそうだ　　　　　　　　　　b．なったそうだ
　 c．なるそうだった　　　　　　　　d．なったそうだった

5　a．どうして 生きるのか　　　　　b．何を したいのか
　 c．どう すれば いいのか　　　　　d．どうやって すると いいか

さくいん（50音順）

*左から、見出し語、見出し語番号（「復」は復習）、ページ。

【あ〜お】

見出し語	番号	ページ
ああ＋動詞	65	69
〜あいだ（は）	79	91
〜あいだに	80	91
あげる	34	42
〜てあげる	66	78
あんな＋名詞	64	69
〜てもいい	31	39
〜といい	61	68
〜ばいい	61	68
〜といいです	62	68
〜ばいいです	62	68
疑問詞＋〜ばいいですか	60	68
〜と言う	16	23
〜ということ	33	41
〜ていく	72	82
〜てはいけない	29	38
動詞の意志形	5	14
意志形＋と思う	6	15
いただく	35	43
〜ていただく	67	79
〜う	5	14
〜（よ）うか	28	38
受身	73	87
〜（よ）うとする	70	81
〜ておく	39	50
（〜だろう）と思う	15	22
〜おわる	52	59

【か〜こ】

見出し語	番号	ページ
〜か	20	27
〜と書く	16	23
〜かた	7	15
〜かどうか	19	27
〜かな（あ）	55	60
動詞の可能形	2	12
〜てもかまわない	31	39
〜かもしれない	48	57
〜がる	51	58
〜と聞く	16	23
くださる	35	43
〜てくださる	67	79
〜てくる	72	82
くれる	34	42
〜てくれる	66	78
謙譲表現	84	100
こう＋動詞	65	69
〜こと	9	16
〜こと	33	41
〜ことが（も）ある	43	51
〜たことがある	11	20
〜ことができる	1	12
〜ことにする	68	80
〜ことになる	69	80
こんな＋名詞	64	69

【さ〜そ】

見出し語	番号	ページ
〜さ	82	92
さしあげる	35	43
〜てさしあげる	67	79
（〜も）…し、〜も	40	50
使役	74	88
使役受身	75	89
〜てしまう	24	29
縮約形	90	103
〜すぎる	38	49
〜ずに	87	102
〜がする	27	30
〜にする	14	22
〜（さ）せてください	76	90
そう＋動詞	65	69
〜そうだ（伝聞）	21	28
〜そうだ（様態）	36	48
尊敬表現	83	98

126

そんな＋名詞	64	69

【た〜と】

〜たがる	51	58
〜だす	52	59
〜ため（に）	10	20
〜ため（に）	37	49
〜たら	57	65
〜たらいい	61	68
〜たらいいです	62	68
疑問詞＋〜たらいいですか	60	68
〜だろう	15	22
〜ちゃ（＝ては）	90	103
〜ちゃう（＝てしまう）	90	103
〜つづける	52	59
〜つもり	4	14
そのほかのていねいな言い方	85	101
〜ができる	1	12
〜ても	63	69
〜でも	41	50
〜でも	53	60
〜でも	63	69
疑問詞＋でも	18	23
〜と	56	64
〜とか	8	16
〜ところだ	49	57

【な〜の】

〜な（命令）	32	41
〜なくてはいけない	30	39
〜なくてもいい	31	39
〜なくてもかまわない	31	39
〜なければならない	30	39
〜なさい	32	40
〜なら	59	67
〜（に）なる	復	13
〜にくい	26	30
〜の	9	16
〜の	54	60
〜のだ	44	52
〜ので	22	28
〜のに	23	29

【は〜ほ】

〜ば（仮定形）	58	66
〜は…が＋形容詞／状態を表す動詞	13	22
〜ばかり	50	58
〜たばかり	89	102
〜はじめる	52	59
〜はず	88	102
比較	12	21
〜ほうがいい	17	23

【ま〜も】

〜ましょうか	28	38
〜まで	77	90
〜までに	78	91
〜まま	86	101
〜てみる	25	30
動詞の命令形	32	40
命令の表現	32	40
〜も	45	52
もらう	34	42
〜てもらう	66	78

【や〜よ】

〜やすい	26	30
やる	35	43
〜てやる	67	79
〜よう	5	14
〜ようだ	46	56
〜のようだ	42	51
〜ように（と）言う	81	92
〜ようにする	71	81
〜ように（と）注意する	81	92
〜ように（と）伝える	81	92
〜ようになる	3	13

【ら〜ろ】

〜らしい	47	56
〜られる	2	12
〜る	2	12

安藤栄里子（あんどう　えりこ）
明新日本語学校　教務主任

今川　和（いまがわ　かず）
（元）東京情報大学　非常勤講師
（元）東京国際大学付属日本語学校　非常勤講師

耳から覚える
日本語能力試験 文法トレーニング N4

発行日	2010 年 6 月 30 日 （初版）
	2024 年 6 月 13 日 （第 7 刷）
著者	安藤栄里子・今川 和
英語訳	Jenine Heaton
中国語訳	張　文麗
韓国語訳	鄭　相熙
編集協力	石　暁宇
CD プレス	株式会社ソニー・ミュージックソリューションズ
編集・DTP	有限会社ギルド
印刷所	図書印刷株式会社
発行者	天野智之
発行所	株式会社アルク
	〒 141-0001　東京都品川区北品川 6-7-29　ガーデンシティ品川御殿山
	Website：https://www.alc.co.jp/

落丁本、乱丁本は弊社にてお取替えいたしております。
Web お問い合わせフォームにてご連絡ください。
https://www.alc.co.jp/inquiry/
本書の全部または一部の無断転載を禁じます。著作権法上で認められた場合を除いて、本書からのコピーを禁じます。定価はカバーに表示してあります。

ご購入いただいた書籍の最新サポート情報は、以下の「製品サポート」ページでご提供いたします。
製品サポート：https://www.alc.co.jp/usersupport/

©2010　安藤栄里子・今川 和／ ALC PRESS INC.
Printed in Japan.

PC：7010041
ISBN：978-4-7574-1892-9

地球人ネットワークを創る
アルクのシンボル
「地球人マーク」です。

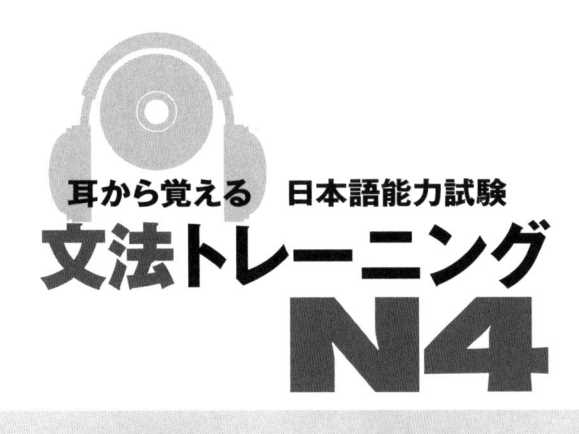

耳から覚える　日本語能力試験
文法トレーニング N4

解　答

Unit 01 練習 (P.18)

I
1. を、の
2. とか、とか
3. を、が
4. が、に
5. と
6. が、の
7. が

II
あるける、あるこう
かえる、かおう
ねられる、ねよう
こられる、こよう
もてる、もとう
かえれる、かえろう
あそべる、あそぼう
べんきょうできる、
べんきょうしよう
おきられる、おきよう
話せる、話そう

III
1. つかい
2. かえる
3. およげる
4. 休もう
5. 読む
6. すう
7. しよう
8. 行かない
9. じょうずに
10. 会えなく

IV
1. b
2. c
3. d
4. a
5. d
6. c

Unit 02 練習 (P.25)

I
1. の、に
2. は、が
3. は、より
4. が
5. と
6. の、より
7. でも
8. と、と、が、の、が
9. は、ほど
10. も、が
11. と
12. に、に

II
1. おぼえる
2. のぼった
3. 見る、する
4. 行った
5. たのしかった
6. つづく
7. 食べない
8. あった

III
1. だれ
2. なに
3. どのくらい
4. いつ、どう
5. どんな
6. どこ
7. どちら

IV
1. d
2. a
3. d
4. b
5. b
6. c

Unit 03 練習 (P.32)

I
1. のに
2. が、か
3. か、か
4. ので
5. に

II
1. きて
2. われ
3. おいしい
4. 日よう日な、休もう／休める
5. 食べる
6. わすれて
7. はらった
8. わかり
9. じょうずだ
10. なりたかった
11. する、行く

III
1. にくい
2. やすい
3. やすい
4. のに
5. ので
6. のに
7. ので
8. か
9. かどうか
10. か
11. に
12. が、ので
13. でも
14. 一度も
15. 一度

IV
1. a
2. b
3. d
4. d
5. a
6. c

まとめテスト1 (P.34)

I
1. を、が
2. が
3. に
4. と
5. も、が
6. と
7. でも
8. は、が
9. とか、とか
10. の、が、より
11. の
12. に
13. か、か
14. の
15. のに
16. ほど
17. に、に
18. ので
19. と、と、が
    も

II
1. 帰ろう
2. 聞いた
3. 読み
4. 行かない
5. 見る、する
6. およげる
7. じょうずに
8. たのしかった
9. すう
10. つづく
11. しんで
12. なる
13. 食べよう
14. われ
15. 日よう日な
16. じょうずだ
17. わすれた
18. 食べて
19. 会えなく
20. なりたかった

III
1. d
2. c
3. b
4. d
5. d
6. a
7. d
8. b
9. c
10. d
11. b
12. a
13. d
14. b
15. c
16. a
17. c
18. a
19. a
20. d

Unit 04 練習 (P.45)

I
1. ね、か
2. なければ／なくては
3. ても
4. な
5. に、を
6. に、を
7. から、を
8. に、を

II
書け
立て
見ろ
話せ
乗れ
しろ
買え
来い
起きろ
遊べ

III
1. 休み
2. すてて
3. 行かな
4. しな
5. のる
6. 休む
7. がんばれ
8. ひき
9. みがかなく
10. ください

IV
1. もらった
2. くださった
3. あげ
4. もらった
5. やって
6. さしあげ
7. もらって
8. くれ
9. もらい
10. くれ
11. だし

V
1. a
2. c
3. c
4. d
5. c

6．b
7．a

Unit 05 練習 (P.54)

I
1．に
2．も、し、も
3．だ、でも／にも
4．の
5．の
6．が／も
7．な
8．の／ん、の／ん
9．も
10．も／に

II
1．よさそうな
2．むずかしくなさそうだ
3．じょうぶではなさそうな
4．出そうに
5．ふべんな
6．むずかし
7．つかい
8．買って
9．いい
10．美人だ／美人です
11．わった
12．する

III
1．よさ、そうに
2．おいしい
3．終わりそうもありません
4．降ったそうです
5．取れ
6．おいし、そうな
7．ように
8．おきました
9．しまった
10．みても
11．しまい
12．した
13．も
14．でも

IV
1．c
2．d
3．a
4．d
5．a
6．b

Unit 06 練習 (P.62)

I
1．でも
2．の
3．の
4．から
5．がる
6．ばかり
7．かな

II
1．すきな
2．できた
3．行く
4．あそんで
5．ひま、いそがしい
6．やっている
7．ふり
8．ついた
9．出た
10．ひいた
11．かんがえ
12．ざんねん
13．行こう、やめよう

III
1．らしい
2．だした
3．よう
4．ところ
5．ほしがって
6．でも
7．かな

IV
1．c
2．d
3．a
4．c
5．a
6．b

Unit 07 練習 (P.71)

I
1. ば
2. と
3. たら
4. なら
5. ば、ても
6. と
7. なら、と
8. でも

II
1. おす
2. おわっ
3. のれ
4. きらいだっ
5. ひま
6. きれいだ
7. なけれ、なく
8. よかっ
9. さむけれ
10. 学生でない
11. じょうずでなけれ

III
1. つけると
2. あっても
3. なったら
4. 買ったら
5. 買うなら
6. 帰ったら
7. 行くなら
8. 見ると
9. 高くても、高くても、ものなら、高ければ
10. したら
    聞けば
11. 帰ったら
12. そんな
13. この、こう
14. そんな
15. あんな

IV
1. a
2. c
3. d
4. c
5. b
6. d
7. c

まとめテスト2 (P.74)

I
1. に、を
2. な
3. の、に
4. な
5. も、し、も
6. も
7. に、を
8. の
9. な
10. の／ん
11. だ
12. に、を
13. でも
14. かな
15. ばかり
16. に／も
17. でも
18. と
19. の
20. なら
21. がる
22. でも
23. と
24. ば
    ても

II
1. つかい
2. がんばれ
3. 行かなけれ
4. 聞いて
5. ください
6. なる
7. わった
8. たのしそうに
9. よさそうな
10. じょうぶではなさそうな
11. ほしがって
12. ふべんな
13. ならい
14. 出た
15. ひいた
16. あそんで
17. やっている
18. ひま
19. しらべて
20. 行く
21. よかっ
22. きらいだっ
23. じょうずでなけれ
24. なけれ
    なく

III
1. d
2. c
3. c
4. a
5. b
6. d
7. b
8. a
9. c
10. c
11. b
12. d
13. b
14. d
15. c
16. b
17. c
18. d
19. d
20. a
21. c
22. c
23. b
24. d
25. d

Unit 08 練習 (P.84)

I
1. に、を
2. を、に／へ
3. の、を
4. に、を
5. の、を
6. に
7. の、を
8. を、まで、に
9. に
10. と
11. に
12. に
13. と

II
1. 行く
2. 出かけよう
3. して
4. 使ってみる
5. 走ろう
6. すわない
7. ふえて
8. 教えていただいた
9. 言おう

III
1. もらった
2. もらい
3. くれ
4. あげ
5. くれ
6. やり
7. いただき
8. もらった
9. あげた
10. くれる
11. もらった
12. ください
13. き
14. いき
15. こと
16. ことに

IV
1. c
2. b
3. a
4. b
5. d
6. c

Unit 09 練習 (P.94)

I
1. に
2. を
3. に、を
4. に
5. に、を
6. に
7. に、に
8. に、を
9. さ
10. を
11. に
12. に、を

II
される、させる、させられる
食べられる、食べさせる、食べさせられる
書かれる、書かせる、書かされる
立たれる、立たせる、立たされる
かんがえられる、かんがえさせる、かんがえさせられる
話される、話させる、話させられる
来られる、来させる、来させられる

III
1. 読まれて
2. 立たせ、こたえさせ
3. おこなわれ
4. 食べさせられ
5. ことわられ
6. させ
7. ふまれた
8. させられ
9. された
10. 食べられて
11. 読ませて
12. はじまる
13. する
14. あつ
15. よ

IV
1. ひいてもらいました
2. ひかれて
3. 見られて
4. 見てもらって
5. 止められて
6. 食べてもらいました
7. 買ってきてもらいました
8. 泣かれて
9. 休ませて
10. 待たせて
11. させて
12. わたし
13. わたし
14. テイさん
15. までに
16. まで
17. まで
18. までに
19. あいだ
20. あいだは
21. あいだに
22. あいだに

V
1. c
2. d
3. b
4. c
5. d
6. d
7. a
8. b
9. d

Unit 10 練習 (P.105)

I
1. に
2. な
3. で
4. な
5. で
6. の
7. ご
8. お、ご

II
1. おかきになった
2. お読みになりました
3. おもちします
4. おかりしても
5. おもどりになる、おまちします
6. おすいになります
7. お見せしました
8. ごあんないします

III
1. いらっしゃいます
2. おっしゃって
3. もうします、いたします
4. うかがった、なさった
5. ごらんになりました
6. お目にかかって、もうしあげたい、おります、いらっしゃって、まいります
7. めしあがります、いただきます
8. ごぞんじです、ぞんじております／ぞんじています

IV
1. つけた
2. 食べ
3. 来る
4. 来た
5. し

V
1. 食べてしまった
2. 行っては
3. あります
4. 呼んでいます
5. です
6. います

VI
1. c
2. d
3. a
4. c
5. b
6. a
7. d
8. b
9. a
10. d
11. c

まとめテスト3 (P.108)

I
1. を
2. に、を
3. と
4. に
5. に、を
6. に
7. に、を
8. に
9. を
10. に、を
11. の、を
12. に
13. に
14. に、に
15. で
16. と
17. と
18. に
19. が、の、を
20. の、を
21. さ
22. に
23. の
24. で
25. お、ご

II
1. して
2. のろう
3. 飲む
4. 来る
5. ことわられて
6. つくらせ
7. させられ
8. 読まれて
9. わらわせて
10. またされて
11. ふられて
12. 休ませて
13. 来られて
14. あやまろう
15. じょうずな
16. すわない
17. 行く
18. しない
19. 来る
20. 買った
21. せず
22. さむ
23. はいた
24. 飲ん

25. なって

III
1. c
2. a
3. b
4. a
5. c
6. d
7. c
8. d
9. b
10. c
11. d
12. b
13. c
14. d
15. c
16. b
17. b
18. a
19. c
20. d
21. a
22. b
23. b
24. c
25. d

N4 総合問題
I (P.114)

もんだい1
1. b
2. a
3. d
4. c
5. a
6. c
7. b
8. c
9. a
10. c
11. d
12. c
13. d
14. b
15. a

もんだい2
1. d c→b→d→a
2. a b→d→a→c
3. d b→a→d→c
4. c d→a→c→b
5. b c→d→b→a

もんだい3
1. b
2. d
3. d
4. a
5. c

N4 総合問題
II (P.117)

もんだい1
1. a
2. c
3. d
4. c
5. d
6. c
7. d
8. a
9. b
10. b
11. b
12. c
13. d
14. b
15. d

もんだい2
1. d a→c→d→b
2. a b→d→a→c
3. b a→d→b→c
4. a d→b→a→c
5. c d→a→c→b

もんだい3
1. c
2. a
3. d
4. b
5. b

N4　総合問題
III　(P.120)

もんだい１
1. c
2. b
3. a
4. a
5. c
6. b
7. c
8. c
9. b
10. d
11. a
12. d
13. c
14. d
15. a

もんだい２
1. c　b→d→c→a
2. a　d→c→a→b
3. b　a→c→b→d
4. d　b→a→d→c
5. d　c→a→d→b

もんだい３
1. a
2. d
3. c
4. a
5. d

N4　総合問題
IV　(P.123)

もんだい１
1. a
2. c
3. b
4. c
5. c
6. d
7. b
8. a
9. d
10. ①d　②a
11. c
12. d
13. b
14. c

もんだい２
1. c　b→d→c→a
2. d　c→b→d→a
3. c　a→d→c→b
4. c　d→a→c→b
5. d　c→a→d→b

もんだい３
1. d
2. a
3. c
4. b
5. c